Les Belles Étrangères

Douze écrivains libanais

Les Belles Étrangères

anthologie

verticales | phase deux

Les Belles Étrangères Liban
12-24 novembre 2007

Cet ouvrage est édité à l'initiative du Centre national du livre
53 rue de Verneuil, 75007 Paris

www.centrenationaldulivre.fr

Illustration de couverture :
Zeina Abirached / Atelier avec vue

Crédits photo : © DR sauf
p. 27 © Michel Sayegh, p. 103 © Wissam Moussa
et p. 117 Catherine Hélie

Cet ouvrage est commercialisé au Liban par Dar an-Nahr

Sommaire

« C'est au pied du mur que nous créons le mieux », assure le poète Abbas Beydoun. En dépit de la guerre subie en 2006 et d'une grave crise politique, le Liban connaît une véritable frénésie créatrice dans les domaines des arts et surtout des lettres. Beyrouth, que l'Unesco vient de désigner capitale mondiale du livre en 2009, est depuis longtemps une ville d'asile littéraire. Elle reste un îlot de créativité pour les écrivains de langue arabe, qu'ils vivent à Rabat, Londres, Alger ou Paris. La presse et l'édition y sont libres de toute censure, le Liban demeurant la seule démocratie parlementaire arabe de la région. Beyrouth compte ainsi plus de trois cents maisons d'édition et il s'y publie dix quotidiens en arabe et plusieurs magazines en français, en anglais et en arménien. En effet, si la langue officielle est l'arabe, l'originalité du système éducatif réside dans la généralisation du bilinguisme : l'enseignement en langue étrangère commence au niveau préscolaire, soit en français soit en anglais. Par ailleurs, Beyrouth accueille, chaque année, un Salon du livre français qui attire plus de cent mille visiteurs. Les Belles Étrangères souhaitaient donc, par la présente anthologie, rendre compte de cette effervescence et de la littérature, tout en nuances, de ce pays.

Littérature à la fois jeune et ancestrale puisqu'elle remonte au XIXe siècle, moment de la Renaissance arabe : la Nahda. Ce mouvement culturel, politique et social, né en Égypte, avait pour rêve d'arracher le monde arabe à sa léthargie en lui faisant découvrir, par les traductions, Shakespeare, Voltaire et Hugo. Relayée par les Universités de Saint-Joseph et par l'Université américaine de Beyrouth, portée notamment par les élites chrétiennes, la Nahda fera souffler un vent de liberté sur la langue et la littérature. Parmi ses grands représentants, on peut citer l'émir Abdelkader, alors en exil à Damas, l'encyclopédiste Boutros al-Boustani et Faris al-Chidyaq, à qui l'on doit *La jambe sur la jambe*, roman truculent et picaresque, publié en France par les Éditions Phébus en 1997. Cette littérature naissante trouvera son incarnation dans la figure mystique et révoltée de Khalil Gibran, devenu symbole national. Alexandre Najjar vient d'ailleurs de consacrer à l'auteur du *Prophète* une importante étude dans l'introduction au monumental recueil d'œuvres complètes, paru en France dans la collection « Bouquins ». Il y définit cet « anticlérical » dans l'âme comme « le Victor Hugo libanais ».

De manière générale, le roman arabe prend son envol au début du XXe siècle avec Maroune Aboud et Tawfiq Youssef Awwad. Viendront plus tard Suhayl Idris et Youssef Habshi al-Ashkar, qui gagneraient à être traduits. La poésie, elle, doit sa révolution à la revue *Shi'r*, fondée à Beyrouth en 1957 par Youssef al-Khal. *Shi'r* a fait découvrir au public les grands noms du surréalisme et son aventure scelle l'entrée du poème arabe dans une absolue modernité. Quant au roman libanais d'expression française, il verra le jour avec les œuvres de Chukri Ghanem, Jean Bechara Dagher, Jacques Tabet ou Joseph Farès. Mais si, ainsi que le précise Charif Majdalani, «les Libanais ont écrit en français avant que le Liban ne passe sous mandat français», si «l'usage de cette langue n'est pas une fatalité coloniale comme c'est le cas pour les pays du Maghreb ou d'Afrique», aujourd'hui encore, c'est la langue arabe qui domine pour l'essentiel les arts, de la littérature au cinéma, la chanson, la presse et la vie quotidienne des Libanais. Huit écrivains arabophones sur douze la représentent dans ce recueil qui réunit en français différentes générations d'écrivains du Liban d'aujourd'hui.

Le regard de ces auteurs, qui résident tous en dehors de la France, vient s'ajouter aux écrits des grands noms de la littérature libanaise qui ont fait leur vie dans notre pays, tels Vénus Khoury-Ghata, Houda Barakat, Najwa Barakat, Issa Makhlouf et Etel Adnan, Amin Maalouf et Salah Stétié, pour ne citer qu'eux...

Douze auteurs donc, qui expriment les multiples sensibilités du Liban, ses géographies comme ses nombreuses communautés confessionnelles – pas moins de dix-sept, chacune ayant un droit privé spécifique appliqué par des tribunaux religieux. Ce mélange parfois détonant provoque aussi d'heureuses alchimies. Quand on demande à Abbas Beydoun, originaire du Sud, d'où vient «le miracle qui fait du Liban le seul pays arabe libre», il répond dans un grand éclat de rire : «Il est libre parce que ce n'est pas un pays

musulman, c'est un pays inventé par les chrétiens qui ont
partagé cette liberté avec les autres.» La paix a beau être
revenue, les frontières communautaires sont encore partout,
dans l'air, les gestes, le corps et les amours. Au Liban, où
chacun est rattaché de facto à une communauté et quelle que
soit sa volonté de rupture, les identités d'origine sont indé-
lébiles : ainsi pour Mohamed Abi Samra, «la confession est
une seconde peau». Les romans se jouent souvent dans l'intimité des familles, dans les grandes maisons, derrière des
fenêtres closes. C'est le cas de *Catharsis* de Zeina Abirached,
ou de *L'immeuble de Mathilde* de Hassan Daoud, où chaque
espace définit l'identité de l'autre. Il en va de même pour
l'*Histoire de la Grande Maison* de Charif Majdalani, pour
Dounia d'Alawiya Sobh, ou pour *Mûriers sauvages* d'Imane
Humaydane-Younes. On retrouve cette hantise de l'espace et
du territoire dans *La petite montagne* d'Elias Khoury dont les
chapitres sont découpés en fonction de lieux précis, et dans
Passage au crépuscule de Rachid el-Daïf, où tout se déroule
dans le huis clos du narrateur.

Douze auteurs, douze sensibilités qui ont en commun
d'avoir vécu, de près ou de loin, la guerre civile qui a duré de
1975 à 1990. Beaucoup fréquentaient alors l'université :
Mohamed Abi Samra, Abbas Beydoun, Hassan Daoud,
Rachid el-Daïf, Elias Khoury, Charif Majdalani, Alawiya
Sobh, Imane Humaydane-Younes. C'était une période
lyrique où Sartre avait éclipsé Mahomet. C'était le temps du
romantisme révolutionnaire pour cette génération nourrie
de Marx, de Lénine mais aussi de Camus et de Breton, génération qui rêvait d'un Liban et d'un monde arabe laïcs et

révolutionnaires et qui croyait en entrant en guerre vivre son Mai 68. À la seule différence que les kalachnikovs remplaceraient les pavés… pour plusieurs décennies. La plupart ont applaudi au commencement de la guerre, ainsi que le confesse Rachid el-Daïf : « Nous y sommes entrés comme dans un bal. Le monde allait enfin se conformer à nos idées. » Alawiya Sobh se souvient : « J'ai cru que la guerre allait briser le communautarisme et engendrer une société civile. » Elias Khoury, qui y avait pris part, a failli y perdre la vue. Quant à Abbas Beydoun, il concède avec humour : « Je savais que le socialisme était impossible au Liban. J'ai milité pour un rêve. » La guerre civile a duré quinze ans. Elle a fait 150 000 morts, 300 000 blessés et 17 000 disparus. Elle a brisé l'économie, poussé vers l'exil un million de personnes, et, loin de mettre à bas le système confessionnel, elle l'a renforcé.

C'est bien la guerre qui conditionne l'acte d'écriture de chaque auteur, qu'il écrive sur elle ou tente de la dépasser. Son impossible oubli fonde le travail de Zeina Abirached comme celui de Yasmina Traboulsi, qui entame sa carrière littéraire par un roman, *Les enfants de la place*, situé au Brésil ! En revanche, Imane Humaydane-Younes avoue qu'elle écrit précisément « pour comprendre comment un peuple arrive à supporter quinze ans d'humiliations sans réagir ». Mohamed Abi Samra se définit avec justesse comme « né de la guerre et de l'écriture ». Dans *L'immeuble de Mathilde*, Hassan Daoud dévoile la profonde intimité de cette lutte tandis que l'œuvre poétique de Tamirace Fakhoury est douloureusement imprégnée de l'image de la mort qu'elle a souvent côtoyée enfant. Enfin, la célébration du corps et du désir dans les recueils de Joumana Haddad s'expliquerait par cet amour de la vie qui a permis au Liban de ressusciter après chaque effondrement.

Le roman libanais demeure le principal mémorial du conflit, le miroir de sa tragédie. Il est l'espace ultime où les auteurs remontent la généalogie de la violence, restituent les heurts ou les fusions entre les différentes communautés, font voler en éclats le mythe du Liban « terre de miel et de lait » pour dévoiler une autre réalité, celle d'une terre de confrontations et de violences, tantôt fatales, tantôt fertiles. Cette introspection essentielle reste au cœur de la plupart des créations libanaises, alors que la fin de la guerre civile date officiellement du 22 octobre 1989, moment des accords de Taëf, signés en Arabie saoudite. Une amnistie a été promulguée qui absout tous les chefs de guerre. Les quinze années précédentes ont ainsi été effacées sans qu'aucun travail véritable de mémoire n'ait été engagé. Cet épisode décisif ne figure dans aucun manuel scolaire. En l'absence de toute transmission, la nouvelle génération grandit dans un climat d'amnésie générale. Comme l'affirme Elias Khoury : « Il s'agit pour nous non pas de juger ceux qui ont fait la guerre, mais de faire le procès de la guerre pour qu'elle ne se reproduise plus. Il s'agit de se rappeler non pas pour haïr mais pour aimer, car la littérature est un acte d'amour. » Au fil de la sédimentation des œuvres et du travail archéologique des auteurs, seule la nouvelle littérature libanaise offre une mémoire et une histoire à un pays qui, pour l'instant, les refuse, en attendant le jour où il sera en paix avec lui-même.

Pourtant, si la guerre demeure un référent, elle est rarement évoquée directement dans les œuvres. Elle s'inscrit plutôt en toile de fond, comme une musique tragique qui accompagne la déchéance des personnages. En fait, elle n'a pas de forme, ni de corps, ni de visage à décrire. C'est une guerre invisible qui fragmente l'espace de chacun, pulvérise un pays, dresse des frontières partout, et va jusqu'à se manifester dans la futilité des choses, dans le dérisoire : l'horreur procède d'abord du quotidien. La guerre est aussi le temps qui exacerbe les sentiments. Pour Abbas Beydoun, elle est celui de l'âge de raison qui a arraché le Liban à son enfance mythifiée d'avant 1975. Le poète explique justement la crise de croissance du Liban par cette nostalgie inguérissable de l'époque précédant la guerre, toujours perçue comme un paradis perdu. Jacques Berque résumait ainsi cet éternel paradoxe : « L'Arabe n'attend qu'une seule chose de son avenir, c'est qu'il lui restitue son passé. » Mohamed Abi Samra abonde dans son sens : « Les Libanais ont l'impression que le temps s'est arrêté en 1975 et ils attendent la venue d'un temps qui leur ramènera le temps d'avant. Mais c'est une illusion car on épuise sa vie à attendre ce qui ne reviendra jamais. »

La guerre, pour reprendre les mots d'Elias Khoury, « a permis, paradoxalement, la naissance du roman moderne libanais, parce qu'elle a cassé tous les tabous et ouvert le champ à la narration ». C'est cette rupture consommée dans l'écriture romanesque et poétique qu'il nous est donné de lire à travers les textes qui suivent. Autant le style des aînés, de Georges Schéhadé à Vénus Khoury-Ghata et de Salah Stétié à Andrée Chedid, était empreint d'un grand lyrisme que la langue arabe respire naturellement, autant les nouveaux auteurs du roman libanais font montre d'une grande crudité.

Chez les francophones, l'exemple le plus notable est celui de Yasmina Traboulsi, qui, dans *Amers* notamment, limite son écriture à l'essentiel et invente une phrase courte et percutante. Chez les arabophones, le poète Abbas Beydoun innove avec un poème en prose qui passe de la métaphore la plus complexe au lexique le plus courant. Et Rachid el-Daïf réussit l'exploit de faire oublier à la langue arabe son goût de l'analogie – pour faire mentir Régis Blachère, qui observait que la poésie arabe est un vaste «comme», les «comme» sont très rares dans son œuvre.

À la source de cette libération du verbe, il faut signaler l'importante présence d'auteurs femmes dans le paysage littéraire arabe, qui bousculent la langue, les représentations et les tabous. Joumana Haddad écrit : «Mon poème est un sexe d'homme tapissé de désir.» Avec *Ville à vif*, Imane Humaydane-Younes arrache le roman au témoignage personnel et à l'autobiographie pour en faire une véritable méditation philosophique sur le sens de la vie et de la violence. Alawiya Sobh, elle, donne un grand coup de pied dans la fourmilière avec *Maryam ou Le passé décomposé*, où, tout en retraçant la saga des gens du Sud, elle s'assigne pour objectif d'inventer un érotisme au féminin, disant la vérité du corps de la femme et son rapport au sexe.

Qu'elle s'exprime en arabe ou en français, en prose ou en poésie, cette anthologie présente aujourd'hui une littérature libanaise qui s'affirme majeure.

Mohamed Kacimi

ZEINA ABIRACHED

ZEINA ABIRACHED est née en 1981 à Beyrouth. Elle a passé son enfance dans une maison située sur la «ligne verte», zone de démarcation qui coupait en deux la ville de Beyrouth pendant la guerre civile. Sa mère lui inventait chaque jour une histoire pour lui cacher la réalité de la guerre qui se déroulait à quelques mètres de leur rue. Après des études à l'académie libanaise des Beaux-Arts de Beyrouth, elle s'inspira de cet épisode pour réaliser son premier album, *Catharsis : Beyrouth*. On y retrouve, en noir et blanc, dans un style épuré, toute la gravité de Beyrouth mêlée au regard d'une enfant qui découvre enfin la réalité du monde. Zeina Abirached poursuit cette veine autobiographique dans *38, rue Youssef Semaani*, son deuxième album, dont le titre est son adresse personnelle. Elle y dépeint, avec la même poésie et les mêmes contrastes, les figures familières des voisins et des commerçants qui lui ont appris l'oubli de la guerre. Son dernier album, *Le jeu des hirondelles*, plus dense et touffu, donne à Beyrouth le rôle principal et traite le thème de la fuite par l'imagination.

DU MÊME AUTEUR

Le jeu des hirondelles, Éditions Cambourakis, 2007
38, rue Youssef Semaani, Cambourakis, 2006
[Beyrouth] Catharsis, Cambourakis, 2006

TRAJET À PIED DE LA RUE YOUSSEF SEMAANI À LA RUE GERGI ZEIDANE

CARNET DE ROUTE

DE ZEINA ABIRACHED

RUE GERGI ZEIDANE

arrivée

RUE DES SAINTS-CŒURS

RUE DU LIBAN

RUE YOUSSEF SEMAANI

départ

AMMO ADIB N'AIME PAS LES FILLES.
QUAND J'ÉTAIS PETITE, J'ALLAIS NOURRIR SES POULES AVEC MON FRÈRE.

EN RENTRANT À LA MAISON MON FRÈRE AVAIT TOUJOURS LES POCHES
REMPLIES DE BONBONS. MOI, JAMAIS.

LUI, C'EST "L'ESPION RUSSE", ENFIN, C'EST COMME ÇA QU'ON L'APPELLE MON FRÈRE ET MOI (IL EST TOUJOURS DEBOUT DEVANT SON MAGASIN À SURVEILLER LES ALLÉES ET VENUES).

CHARBEL ET MAROUN SONT JUMEAUX. ILS VIENNENT DU NORD DU LIBAN (C'EST POUR ÇA QU'ILS ONT LES YEUX BLEUS) ET SONT TOUS LES DEUX CHAUFFEURS DE TAXI.

QUAND J'ÉTAIS PETITE, MAROUN NOUS ACCOMPAGNAIT À L'ÉCOLE DANS SON TAXI. PLUS TARD, C'EST LUI QUI M'A APPRIS À CONDUIRE.

CHARBEL PASSE SON TEMPS À S'OCCUPER DE SA VOITURE.

VOILÀ GRINDAYZER (GRINDAYZER, ÇA VEUT DIRE GOLDORAK EN ARABE).
GRINDAYZER, C'EST LE NOM DU MAGASIN, MAIS COMME TOUT LE MONDE A TOUJOURS
APPELÉ GRINDAYZER "GRINDAYZER" PLUS PERSONNE NE SE SOUVIENT DE SON VRAI NOM.

GRINDAYZER VEND DES JOUETS. ILS SONT ENTASSÉS DERRIÈRE LUI SUR DES ÉTAGÈRES
QUI MONTENT JUSQU'AU PLAFOND.
GRINDAYZER A TOUJOURS ÉTÉ DANS LE QUARTIER, TOUT LE MONDE LE CONNAÎT
ET IL CONNAÎT TOUT LE MONDE... SURTOUT DEPUIS QU'IL DÉVELOPPE NOS PHOTOS
DANS UNE MINUSCULE CHAMBRE NOIRE DERRIÈRE SON MAGASIN.

EUX, C'EST MONSIEUR ASSAAD, LE COIFFEUR POUR HOMMES, ET MONSIEUR GEORGES, LE COIFFEUR POUR FEMMES.

MONSIEUR GEORGES S'EST JURÉ DE ME LISSER LES CHEVEUX UN JOUR.

MOHAMED ABI SAMRA

MOHAMED ABI SAMRA est né en 1953 à Chebaa, village reculé du Sud-Liban où il vécut jusqu'à l'âge de sept ans. Puis sa famille émigre dans la banlieue sud de Beyrouth, où il se réfugie dans la lecture et dans l'écoute des chansons de Fayrouz, à qui il consacre une étude pour son diplôme de sociologie obtenu à l'Université libanaise. Depuis 1976, il travaille dans le journalisme et est actuellement rédacteur dans le grand quotidien *an-Nahar*. Il publie en 1990, à la fin de la guerre, son premier roman, *Pauline et ses ombres*, aux Éditions Dar al-Farabi. Son deuxième ouvrage, *L'homme que je fus*, retrace le parcours d'un personnage décalé qui refuse de vivre au présent et reste englué dans son passé. Dans ce roman se déverse une charge d'une violence inédite dans la littérature arabe contre le personnage de la mère «dénuée de toute féminité». L'œuvre de Mohamed Abi Samra, et notamment son dernier roman, *Les habitants des images*, publié aux Éditions Dar an-Nahar en 2003, est construite comme une rupture dans une société qui privilégie le collectif et où l'individu trouve difficilement sa place.

DU MÊME AUTEUR EN FRANÇAIS

L'homme que je fus, traduit par Franck Mermier, Éditions Actes Sud-Sindbad, 2007

RUINES PAÏENNES

Sur une petite route de montagne escarpée, un homme d'une cinquantaine d'années tient à la main une photographie en couleurs du village qu'il est en train de regarder sur la montagne d'en face. Il voit, comme sur le cliché, des grappes de maisons en béton accrochées, sans ordre aucun, à la roche nue de la montagne, qui domine une vallée étroite et profonde. De petites maisons, dépouillées et compactes, s'étendant de manière arachnéenne, telles des éclaboussures insignifiantes que la rapacité humaine aurait laissées après avoir dévoré la nature vierge.

*

L'homme était venu de Beyrouth visiter son village suspendu sur les pentes du mont Hermon, au fin fond du Sud-Liban. Il ne l'avait pas revu depuis vingt ans. Les maisons lui apparurent comme les pièces d'un puzzle éparpillées sur la montagne. Il s'imagina que leurs bâtisseurs et leurs habitants étaient des créatures de petite taille qui avaient emprunté aux ruches et aux fourmilières leur architecture et leur organisation. Son regard errant distinguait des taches vertes, peu nombreuses, comme des plantes artificielles couvertes de poussière dispersées à l'intérieur du village et entre les blocs imbriqués de béton brut.

*

L'homme naquit une nuit, lors d'une tempête de neige, dans une maison ancienne en pierre du village. Il avait passé les premières années de son enfance retranché du cours du temps, comme au commencement et à la fin d'un monde. Et maintenant, par la force de cette rupture obscure et muette, il pense à la rétraction du temps, des lieux et des choses après le passage de l'homme. En vingt ans, cinq siècles de cette vie lente et ancienne ont été abandonnés à la puissance de la destinée qui a laissé l'existence aussi dénudée que ces maisons neuves.

UNE VOIX

L'air, la lumière, des lieux reculés et jamais foulés de la montagne sont peut-être restés tels qu'en des temps immémoriaux.

LE CHŒUR

Il est bien loin le temps où une étoile brillait dans le ciel et dans les vestiges.

UNE VOIX ERRANTE

Où est passé ce temps familier et nonchalant qui régnait sur ces villages miséreux, retranchés du monde ?

Que sont devenues ces maisons de pierre étagées sur la pente de la montagne, résonnant de la vie des ancêtres ? Où sont le clocher de l'église et le minaret de la mosquée aux proportions modestes ? Où sont ces vieux chemins raboteux, isolés et intimes, tout empreints de la majesté de la nature ?

Par quel mystère l'écho du rire matinal de Souad et le reflet de sa dent cassée se manifestent-ils sur la terrasse de sa maison, alors qu'ils avaient disparu comme un ruisseau asséché dont ne subsiste qu'un lit stérile de galets ? Et comment Nadima, la petite bergère, s'est-elle arrachée à la rudesse montagnarde et à l'odeur de crottin et de lait qui flottait sur le toit de la maison en terre de sa famille ?

UNE VOIX PROCHE

Aucune nostalgie ou régression vers une enfance lointaine et interrompue, mais un sentiment douloureux et suffocant de répulsion qu'inspirent ces hommes dont la force provient de leur faiblesse et de leurs travaux de peine à Beyrouth et dans les villes du pétrole. Là, leurs corps de montagnards et leur mode de vie austère transpirent la rudesse d'une nature avec laquelle ils ont rompu, mais dont la vigueur grossière continue à agir en eux avant que la ville ne la rende exsangue. Auparavant, c'était cette force qui construisait les maisons en pierre et faisait pousser, dans la montagne, le froment, le blé, l'olive, le raisin et les arbres fruitiers. Elle s'altéra peu à peu dans les quartiers édifiés durant la guerre et dans les villes du pétrole où ils s'installèrent dans la hâte et la confusion. Avec leurs petites économies rapportées au village, ils creusèrent les fondations de leurs nouvelles maisons et élevèrent des murs tristes et nus.

UNE SCÈNE

Ils se bousculèrent et s'entre-tuèrent même pour édifier ces maisons laides, étage après étage, sur le site des anciennes demeures en pierre, en usant d'un mortier grossier fait de vengeance, de ruse, d'envie et d'arrogance.

Les murs, les escaliers et les entrées s'agglutinèrent, les balcons et les fenêtres se rapprochèrent. Ils donnaient sur des impasses et des ruelles obscures prenant la place des anciens chemins. On pouvait toucher la main de son voisin depuis sa fenêtre ou depuis son lit.

Ces hommes ne semblaient avoir bâti leurs maisons que pour rogner, avec une brutalité fourbe, quelques centimètres de route ou le bien du voisin, et ils protégeaient leur butin en dressant des murs de plusieurs mètres. Les voisins s'étranglaient de rage et leur fierté minable en était écornée. C'était un outrage que leur maison soit dépassée par d'autres plus hautes d'un ou deux étages érigés pour héberger des fils, leurs femmes et leur nombreuse descendance. Le voisin, amer et offensé, se mettait rapidement à préparer sa vengeance, et rehaussait les murs de sa maison.

LE CHŒUR

Cette génération d'ancêtres a disparu et s'en est allée dans l'au-delà, celle qui avait édifié les vieilles maisons villageoises de pierre, de terre et de branchages.

UNE VOIX ERRANTE

Les maisons matrices, reculées dans le temps comme la flamme de la lampe de Gaston Bachelard éclairant la nuit de l'humanité, sont éternelles. Tels les rêves du réveil heureux de Bachelard, elles sont rafraîchies par la brise des jours et sont assainies par le bourdonnement de la ruche les après-midi d'été. Des maisons pour la torpeur et la somnolence après l'effort.

UNE VOIX PROCHE

Ces maisons ont été héritées par des générations de fils et de petits-fils, dont le sort, lié aux villes nouvelles, les a conduits à rompre avec la sagesse de l'ignorance et de la nature, pour acquérir une éducation rudimentaire, renoncer à la garde des troupeaux et à l'agriculture et devenir ouvriers du bâtiment, modestes travailleurs qualifiés dans les villes du Golfe, militaires, petits fonctionnaires et boutiquiers dans les banlieues des villes.

*

Après l'extinction des feux de la « Fête de la libération » et le retour des habitants dans les villages « libérés » du Sud en 2000, l'homme à la cinquantaine revint, en une visite rapide, à son village de montagne, apportant cette photographie en couleurs dont il ne se rappelait pas comment elle lui était parvenue.

Il se tenait debout sur la nouvelle route asphaltée, sinuant dans la montagne escarpée en face du village, et il essaya de se souvenir…

UNE VOIX SOUDAINE

De ces noces anciennes, il n'est resté que des querelles d'héritage et des conflits pour le partage des terres communes. Ils y édifièrent leurs maisons, les mêmes qu'ils construisirent sur les terrains confisqués à la périphérie de la ville.

UNE SCÈNE SOUDAINE

Un mulet agonisant dans les flammes, avant le coucher du soleil, sur la route allant de l'ancienne aire de battage au cimetière, traversant la montagne escarpée en face du village. Près du mulet, dans les couleurs du couchant, un jeune berger est assis sur une pierre, indifférent à ce qui l'entoure, tandis que son troupeau de chèvres broute un sol parsemé de petites plantes épineuses.

LE CHŒUR

Ô ruines païennes, ruines des hommes et de leurs époques, de leurs actions confuses et inconciliables.

UNE VOIX SOUDAINE

Ici, le temps, les choses et les lieux se précipitent vers leur mort subite, et la nature garde les traces des actions des hommes aux traits mêlés de bergers et de camionneurs. Ici, la vie est prématurée, tout s'interpénètre : la garde des troupeaux, la culture des céréales, les plantations d'arbres fruitiers, la contrebande frontalière sur des mulets traversant les montagnes sombres, les promeneurs dans la douceur vespérale, les crimes d'honneur effroyables et les querelles de voisinage pour le partage de l'eau d'irrigation...

LE CHŒUR

Les bergers, les paysans, les marchands de bétail, le purin des camions, les muletiers, les contrebandiers et les militaires...

UNE VOIX LOINTAINE

Et les émigrés partant en bateau pour le Brésil et l'Argentine, laissant au village des femmes et des enfants voués à un oubli éternel...

DES IMAGES ANCIENNES

Cette épouse sans nouvelles de son mari émigré dégage une douceur austère et inspire un trouble indéfinissable. Une épouse abandonnée qui s'est parée du voile blanc et transparent des veuves... Comme cette couturière chrétienne, Sayyida, et ses sœurs restées vieilles filles qui seules, parmi les femmes du village, sont allées à l'école dans le village chrétien voisin. Leurs corps graciles se pavanaient dans l'attente passionnée de leurs anciens professeurs.

Un jour qu'elles sortaient du cabinet du dentiste, la plus jeune des sœurs aperçut l'un d'entre eux. Il lui sourit, et son image se réimprima dans sa mémoire. Elle ne le revit plus après ce sourire qui orna son imaginaire et lui fit tisser, pour lui, une chemise brodée des fils d'une attente et d'un désir impossibles. Cette attente et ce désir accrurent sa maigreur, et son corps devint aussi léger et fragile qu'une hirondelle. On aurait dit une ombre sous ses longues jupes dont le tissu délicat jouait avec la brise d'été et que terminait une paire d'escarpins noirs chaussant deux petits pieds très blancs et légèrement moites.

DES RÉCITS ANCIENS

Un jeune du village travaillait pour le compte de son oncle qui dirigeait un réseau de contrebande protégé par la Sûreté syrienne. Il passait des vaches en Palestine avant la partition de 1948. Une patrouille l'arrêta et il subit une année de tortures dans la prison de Kouneïtra en Syrie.

Après sa libération, le jeune homme se vengea de son oncle, qui avait défloré sa propre fille quelques jours avant son départ pour le Brésil. Elle était belle et il en était éperdument amoureux. Les signes de la grossesse devinrent manifestes sur le ventre de la jeune fille abusée. Son frère, déserteur de l'armée libanaise et qui venait de quitter Beyrouth, le déchira à coups de couteau et se livra au poste de gendarmerie du village.

Le dernier émigré du village au Brésil, après la défaite de 1967, avait obtenu son Brevet à l'école du village chrétien voisin. Il émigra au Koweït, où il poursuivit ses études par correspondance avec une université de Beyrouth. Il s'affilia au Mouvement des nationalistes arabes et fut expulsé du Koweït après avoir été dénoncé par un de ses proches, qui était aussi son rival dans l'émigration, au travail et dans le parti.

De retour dans son village, au début des années soixante, le nationaliste arabe surpassa, en élégance, les professeurs de l'école. Il ne cessait de fumer de longues cigarettes Kent, d'une blancheur aussi éclatante que le pantalon qu'il portait. Le spectacle de son slip transparaissant sous le pantalon suscitait une excitation secrète et dévorante dans les yeux des jeunes filles. Leur séjour et leur scolarisation hors du village avaient rehaussé et rafraîchi leur beauté. Les jambes découvertes brillaient dans des bas nylon transparents, comme ceux que portait la cousine du nationaliste arabe, blanche et mince. Celui-ci l'épousa quelques années avant son départ pour le Brésil.

Les vêtements du nationaliste arabe rivalisaient d'élégance avec ceux du professeur le plus éminent du village. Enfant, ce dernier quitta le village pour un orphelinat, où il apprit le métier d'instituteur mais aussi celui de couturier, dans lequel il excella. Le professeur resta célibataire toute sa vie, peut-être en raison d'un amour platonique qu'il porta à une femme très belle mais inaccessible, ou d'une homosexualité latente et peut-être ignorée.

UNE VOIX LOINTAINE

Pourquoi les enfants musulmans orphelins du village ont-ils été les premiers à recevoir une éducation supérieure ?

Existait-il une relation entre le fait d'être orphelin, d'être éduqué et de faire montre de féminité ? Le célibat prolongé des jeunes villageoises, leur beauté, leur douceur et leur éducation, reçue dans des écoles à l'extérieur du village, avaient-ils un rapport ?

*

L'homme à la cinquantaine, debout sur la route de montagne face au village, se rappelle son précédent retour, alors qu'il se sentait abattu et brisé, comme un orphelin de guerre ayant fui la ville qui voudrait retrouver son honneur de combattant au sein de sa famille au village. Après son arrivée, au printemps 1976, il écrivit dans son carnet : « Les branches des arbres sont le convoi funéraire du silence. Mes membres et mes sens s'engourdissent lentement, le goût de l'abandon, de la trahison et de la cendre est dans mon cœur… Depuis ce calme, ce vide et cette intimité ancienne, je vous adresse mes salutations timides, à vous mes camarades qui combattez dans la ville. Je sens que je suis un orphelin qui disparaît lentement comme une fine buée sur une vitre… Un orphelin léthargique attendant une mort naturelle dans la vieille maison de ses parents. »

UNE VOIX SOUDAINE

Qui sont ces jeunes revenant des guerres citadines, et qui occupent le bâtiment de l'école publique du village, le transformant en un refuge pour déplacés et un quartier général pour leurs activités militaires sous le commandement d'une organisation armée palestinienne ?

LE CHŒUR

Les orphelins des villes, les jeunes des rues, les élèves faisant l'école buissonnière pour se battre sur un terrain vague voisin, les lanceurs de pierres et de bouteilles vides sur les fenêtres de l'usine, qui éclatent de rire, dans la nuit, au son des bris de verre, enfonçant leur membre, chacun son tour, dans le vagin d'une jument dans l'écurie proche de leur école…

SCÈNES RAPIDES

Au cours d'une nuit nuageuse et pluvieuse, des hommes armés résidant dans le bâtiment de l'école publique tentèrent d'enlever, chez lui, un jeune homme du village. Les voisines sortirent sur leurs balcons et lancèrent des cris effrayants dans l'obscurité…

Des coups de feu au siège de la municipalité. Une querelle lors du partage de rations de farine dans un camion traversant la rue. Des ramasseurs de bois tirent dans la montagne. Un cadavre saigne dans un cercueil porté sur des épaules lors d'un convoi funéraire se dirigeant vers le cimetière. Une femme s'asperge d'essence et se suicide par le feu. Un soldat déserteur sort dans la rue et dirige le canon de sa mitraillette vers un groupe de jeunes armés, avant de tirer en direction de la montagne. Un jeune homme s'introduit dans une maison où sont réunis des notables, menaçant l'un d'eux de son arme ; une querelle survient parmi l'assemblée.

*

L'homme à la cinquantaine était en voiture sur le point de quitter le village lorsqu'il vit des hommes, des femmes, des jeunes et des enfants sortir d'une Range Rover et s'approcher d'un petit panneau dressé entre les rochers sur le côté de la route près du fil de fer barbelé. Ils entourèrent le panneau, à l'exception d'un homme qui les filmait avec une caméra. L'homme à la cinquantaine aperçut leurs visages souriants, avant que sa voiture s'éloigne et disparaisse dans le tournant.

UNE SCÈNE PROCHE

Des émigrés dans les villes du pétrole reviennent dans leur village avec de grosses bedaines. Le bas de leur chemise laisse voir leur chair avachie que leur cravate comprime au niveau du col. Engoncés dans leurs costumes, ils montent dans leur Range Rover ostentatoire et se disputent la place dans les rues étroites du village.

Des hommes barbus aux lèvres charnues et au corps déformé par une nourriture abondante…

UNE VOIX SOUDAINE

L'excès de nourriture est le seul moyen qu'ils ont trouvé pour proclamer leur richesse matérielle afin de se venger de leurs anciennes privations. La fornication et les naissances sont inséparables de la nourriture et de leur nouvelle religiosité. Ils alourdissent leur corps jusqu'à l'arrimer au sol et ressuscitent des rituels nonchalants pour afficher un respect réciproque. Une pesanteur d'esprit et de sentiment s'attache à ce corps terrien privé de tout ce que la légèreté et la clarté insufflent dans l'être humain : la lumière, l'eau et l'air. Seules la terre et la poussière méritent de recouvrir leur front gras et plissé. Elles y impriment cette tache marron foncé, signe de prosternations répétées.

UNE SCÈNE PROCHE

Voici leurs femmes et leurs filles aux yeux éteints, le relâchement de la vieillesse a atteint prématurément leurs corps terriens enveloppés de voiles noirs qui ont poudré leur peau d'un léger tanin blanc…

UNE VOIX

Des épouses et des filles sans voiles qui ont émigré avec leur mari et leur père. Une vie et des désirs violents agitaient leur corps et voici qu'elles reviennent plus âgées que leur mère et leurs grands-mères…

LE CHŒUR

Bienvenue à ceux qui, venus de la poussière, retournent à la poussière… Et que le tumulte s'empare de leur mosquée et de leur existence nouvelles…

UNE SCÈNE PROCHE

Ils ont construit cette mosquée dans un jardin près du cimetière comme ils ont construit leurs maisons, afin que toute la journée ses haut-parleurs résonnent d'appels à la prière et de sermons bruyants. Son minaret est recouvert de néons diffusant des lumières vertes, orange et jaunes, comme celles qui émanent des publicités criardes à l'entrée des Lunapark…

UNE VOIX

Que leur vie s'embaume du crottin des mulets passant en contrebande le tabac américain et le fer pour la construction, vers les villages des confins de la région du Hauran en Syrie, d'où les muletiers rapportaient, autrefois, le blé à travers la montagne par des nuits neigeuses au froid parfois mortel. Les rescapés étaient poursuivis par les patrouilles de la gendarmerie syrienne qui les rançonnaient ou confisquaient les mulets et leurs chargements puis les conduisaient à Kouneïtra dans le Golan.

LE CHŒUR

Que flottent les drapeaux, les images et les pancartes de cet élan nouveau.

Le drapeau du Parti syrien national social sur un rocher au centre de la montagne face à leur village. Le drapeau du Parti Baas arabe socialiste sur les bâtiments de la municipalité et de l'école publique.

Que claque le drapeau du Hezbollah au-dessus de cette tente que ses combattants ont dressée derrière le fil de fer barbelé marquant la frontière près d'une pancarte sur laquelle on peut lire cette inscription : «Les fermes de Chebaa».

Traduit par Franck Mermier

ABBAS BEYDOUN

ABBAS BEYDOUN est né en 1945 à Ch'hour près de Tyr au Sud-Liban. Après des études de littérature arabe à l'Université libanaise, il entame une carrière d'enseignant à Beyrouth. Il milite très tôt dans les rangs de la gauche libanaise et se tourne vers la poésie après avoir renoncé au «grand soir». Il passe les quinze années de la guerre à Beyrouth, qu'il ne quittera que pour un court séjour à Paris, où il soutient un mémoire sur «la modernité de la poésie libanaise» sous la direction de Jamel-Eddine Bencheikh. Considéré comme l'un des chefs de file de la poésie arabe moderne, il est l'auteur de plusieurs traductions, romans et recueils (cités ci-après). Sa fresque glorifiant Tyr est un chant poétique vibrant et sa prose, riche en métaphores, symbolique et onirique. Pour autant, elle ne tourne pas le dos au réel et interpelle son « pays malade à force de refuser d'écrire son histoire ». Abbas Beydoun est aussi journaliste : critique littéraire reconnu pour sa grande rigueur, il tient également une chronique dans le quotidien *al-Safir*, où il livre de subtiles analyses de la vie politique libanaise.

DU MÊME AUTEUR EN FRANÇAIS

Tombes de verre et autres poèmes, traduit par Madona Ayoub, Antoine Jockey et Bernard Noël, Éditions Actes Sud-Sindbad, 2007

Le poème de Tyr, traduit par Kadhim Jihad, Actes Sud-Sindbad, 2002

QUELQUE CHOSE COMME
DE LA TENDRESSE

L'invitation était étrange. Ma cousine, qui porte le voile, me conviait à une soirée dansante chez elle. Plus étrange encore, la soirée se passait en l'absence de ses parents, partis en pèlerinage. Ma cousine avait douze frères et sœurs, pas un n'avait réussi à atteindre le niveau du bac comme elle. La famille n'était pas pauvre. Aucun travail ne répugnait au père. À la fois, il dirigeait une huilerie, s'occupait d'un verger, équipait une boutique d'accessoires de voiture, faisait du courtage et cachait son argent là où personne ne pouvait le trouver. Comme lui, ses enfants avaient été impatients de faire leur vie, trouvant très long le temps passé à l'école. C'est pourquoi les garçons avaient commencé à travailler aussi jeunes que leurs sœurs s'étaient mariées. Sauf elle, qui ne semblait nullement pressée, peut-être parce qu'elle ne croyait pas suffisamment à son étoile. Alors elle avait passé le bac et senti, à ce moment-là sans doute, qu'elle n'aurait pas la même vie que ses parents ou ses frères et sœurs.

L'invitation était étrange. Il est vrai que ma cousine côtoyait en classe des camarades qui fumaient, buvaient et militaient dans des partis de gauche. Mais une soirée dansante dans sa maison, de la pure folie ! C'était la cinquième fois que ses parents allaient à La Mecque, et ce ne serait pas la dernière, sans oublier les visites des hauts lieux saints et la fréquentation régulière de gens religieux. Leur religiosité était aussi prospère et dynamique que leurs affaires. Chacun la nourrissait probablement comme il nourrissait sa fortune, à l'insu de l'autre. Leur religiosité n'était pas austère, ni assoiffée, ni blessée, ni insuffisante non plus. Dépourvue d'imagination et de crainte. Elle avait ses humeurs, ses loisirs et ses lieux, mais s'affolait à l'idée d'une bouteille d'alcool, bien plus encore qu'à l'idée du diable. Le plus surprenant pour moi restait l'alignement des bouteilles derrière les verres sur une nappe blanche ajourée. Comment étaient-elles arrivées là ? ! Je pouvais comprendre que les parents ferment les yeux sur le fait que leur fille reçoive seule un jeune homme à la maison, et qu'ils tolèrent une expérience sexuelle furtive vite réparée par le mariage. Mais une bouteille d'alcool, pour eux, était chose impossible à réparer ou à effacer.

Nombreux étaient les invités, et nul ne semblait étonné d'une soirée organisée par une jeune femme voilée habituée à porter des robes longues et amples. Peut-être savaient-ils mieux que moi que cela n'avait pas beaucoup d'importance. Je n'avais entendu aucune blague à ce sujet, et tous semblaient plutôt occupés à boire et à manger. Ma cousine m'accueillit sans foulard. Sa chevelure était rousse comme les taches qui couvraient son visage. Elle avait mis une robe qui révélait ses courbes. Malgré cela, son corps demeurait absent. Je faillis dire, sans prétention, qu'elle l'avait fait pour moi. J'avais déjà constaté que ma cousine, qui avait été mon élève, se rapprochait de moi. En famille, de tels mariages sont toujours possibles. J'étais étonné par le nombre d'invités et ne pouvais imaginer qu'une fille, aussi introvertie en apparence, ait pu se faire autant de relations. C'étaient des jeunes de gauche en général, mais qui venaient, pour la plupart, de familles où la consommation d'alcool n'est pas permise. Et l'initiative de ma cousine, appelons-la Ikram par exemple, ne pouvait pour le moins que leur plaire.

Nous avions déjà bien bu quand vint le temps de danser. Personne ne remarqua que je n'étais pas doué. Après le jerk, il y eut le slow, puis le slow serré. Nous y arrivâmes progressivement. Peu après, ce fut le tour des propos galants et des rapprochements nés durant la soirée et qui mûrissaient à une vitesse incroyable. Il y eut aussi des expériences osées entre deux personnes désireuses, chacune, de se réaliser. Ma cousine m'avait attendu, sans boire. Moi, j'avais bu pour deux. À peine eut-elle nouée ses mains autour de ma nuque, et moi mes bras autour de sa taille, que nous nous noyâmes l'un dans l'autre. Nous étions seuls dans le cercle de danse. À ce moment, chaque couple était seul. J'étais même sûr que nous disparaissions à mesure que grandissait notre audace. Comme si nous échappions au regard des autres.

Le désir se répandait autour de nous comme une couche atmosphérique, et nous étions cachés comme dans un nuage, le nôtre. Nous nous serrâmes l'un contre l'autre jusqu'à la fusion, sans que rien ne nous sépare. Nos vêtements devinrent une autre peau. Mon sexe commença à gonfler et à durcir, et moi, en vain, je tentai de le calmer. Il tâtonna pour se frayer un chemin avant de s'élancer en toute liberté. Quand enfin il se figea, une part de mon être était concentrée en lui. Mes deux mains sur le dos de ma cousine s'emplirent d'une grande douceur et se dotèrent d'un sens nouveau pendant qu'elles tâtaient les pores de sa peau, du haut de sa colonne vertébrale jusqu'au bas du dos, sans omettre les courbes de ses hanches. Sentiment délicieux et langoureux, comme si un petit cœur battait à leur extrémité. Quelque chose comme de la tendresse, mais qui se déversait tel un torrent. Je mordillais son cou, son oreille, tandis qu'elle se convulsait comme si je la prenais chaque fois. Je n'embrassai pas sa bouche, plaie sèche, tachetée et fétide, qu'elle rafraîchissait avec des feuilles de menthe. Sa bouche était morte pour elle, et c'est pourquoi elle me l'interdit. Nous étions toujours dans notre nuage, enveloppés par notre désir. Ma main se faufila difficilement sous sa robe avant d'épouser le volume de son sein. Tout mon corps s'imprégna de douceur et flamba sous mes vêtements. Ma peau devint soyeuse et légère. J'étais tout entier rassemblé dans mon sexe. Je cherchai à retenir le plaisir lorsque mon âme, mon esprit et ma vie se déversèrent tel un arc-en-ciel.

Quand je revins à moi, la maison était encore à sa place avec les photos de mon oncle et de son épouse en tenue de mariage, les versets dans des cadres poussiéreux, la table, les verres, les invités assis pour la plupart. Seul un couple enlacé tournait sur lui-même, la tête du jeune homme dans le cou de sa partenaire, le visage de celle-ci empourpré.

Je ne peux pas dire que c'était notre première expérience, mais c'était en tout cas la première fois que les choses se déroulaient ainsi. (…)

Ma cousine voilée ne m'était pas interdite. Mais je l'évitais car je n'étais pas prêt à un mariage intrafamilial, et je voyais dans son attitude une manœuvre dans cette direction. Un jour, dans mon adolescence, elle me rejoignit dans mon lit alors qu'elle était encore mineure. Je ne me rappelle plus pour quelle raison elle était venue nous rendre visite. Elle me trouva malade, et vite elle s'allongea près de moi. À la première occasion, elle passa ses deux bras autour de ma taille, puis glissa une main sous mon pyjama et commença à me caresser le sexe. Lorsque je la pris dans mes bras, elle m'avoua qu'un de ses frères la baisait et qu'un autre frère baisait une autre de ses sœurs et… Il était clair que la maison de ces femmes voilées était très excitante. Le tabou était vite écarté et vite remis en place. Pour elles, le voile était le feu vert au désir d'émerger sans gêne et aux corps de se contempler sans la moindre retenue. Le prix est payé d'avance et le retour à une situation légale toujours possible.

Le lendemain matin, j'allai lui rendre visite. Sa grand-mère, sourde et muette de vieillesse, était là. Ma cousine m'entraîna dans une chambre et ôta ses vêtements. Sa flanelle blanche m'apparut encore plus rébarbative que son voile. Elle perça aussitôt ma pensée, et les prochaines fois, me dis-je, je la verrais dans des soutiens-gorge et des slips de couleur. Son corps était surprenant. Sa robe cachait des formes magnifiques. Bizarrement, malgré tout ce qu'elle savait de la sexualité, je sentis la part refoulée de son désir. Elle n'était pas sensuelle. Elle voulait un contact léger, et il était clair qu'un geste fort l'aurait effarouchée. J'avais déjà pris mon plaisir et je me trouvais encore au-dessus d'elle quand elle me demanda de caresser son sexe lentement et d'une façon irrégulière avec le mien. Je m'attelai à la tâche d'un mouvement machinal, et ce fut seulement après un effort soutenu que je réussis à générer en elle une première étincelle. Son désir monta très lentement pour s'éteindre aussitôt, telle une bougie dans le vent.

Nous avions l'habitude de faire l'amour dans la chambre d'amis. Sa mère, présente à la maison, faisait semblant de ne rien voir, dans l'espoir d'un mariage qui viendrait tout réparer. Bien que cela n'eût pas lieu, son attitude resta la même à mon égard. Cependant, peu après, en voulant enfiler un de mes pantalons récupéré chez eux, je remarquai un papier sur lequel son père avait écrit : « Tu n'es qu'un salaud sans le moindre honneur. » J'évitai de le croiser pendant quelque temps et, lorsque nous finîmes par nous rencontrer, il me sourit avec sincérité et n'aborda plus jamais la question, ni lui ni personne. Et aujourd'hui encore, je reste le cousin préféré.

Traduit par Antoine Jockey

RACHID EL-DAÏF

RACHID EL-DAÏF est né en 1945, à Zgharta, ville de la montagne libanaise où il passa son enfance. Dans son roman *Learning English*, il revient sur les rudes mœurs tribales des maronites de cette région. Étudiant à l'Université libanaise à Beyrouth, il s'engage dans les rangs du Parti communiste libanais qui s'est rangé du côté des Palestiniens dans leur combat contre les phalanges chrétiennes. En avril 1975, il espère que la guerre va se terminer par la victoire des «progressistes» et «abolir à jamais le système confessionnel». Mais il déchante très vite. Ses premiers livres, notamment *Passage au crépuscule* et *Cher monsieur Kawabata*, sont un véritable réquisitoire contre la culture de la haine. À partir de *Qu'elle aille au diable, Meryl Streep*, Rachid el-Daïf s'attaque avec une virulence humoristique rare aux hypocrisies de la société libanaise dont la modernité cache, selon lui, des archaïsmes insoupçonnés. Sous couvert d'autofiction, ses romans jettent un éclairage cru et drôle sur le lieu même de tous les conflits et malentendus entre l'homme et la femme, à savoir le lit. L'œuvre de Rachid el-Daïf, très populaire dans le monde arabe et traduite dans plusieurs langues, se caractérise par l'incroyable économie de moyens qu'il a réussi à imprimer à la langue arabe, si complexe et si avide de rhétorique, ce qui le place résolument à la pointe de la modernité littéraire.

DU MÊME AUTEUR EN FRANÇAIS

Fais voir tes jambes, Leïla, traduit par Yves Gonzalez-Quijano, Éditions Actes Sud, 2006

Qu'elle aille au diable, Meryl Streep, traduit par Edgard Weber, Actes Sud, 2004

Learning English, traduit par Yves Gonzalez-Quijano, Actes Sud, 2002

Cher monsieur Kawabata, traduit par Yves Gonzalez-Quijano, Actes Sud-Sindbad, 1998

Passage au crépuscule, traduit par Philippe Cardinal et Luc Barbulesco, Actes Sud, 1991

QUAND HAMA S'EN VA

Hama m'a quitté, brutalement, sans crier gare, après deux années d'une relation tumultueuse.

Elle m'a fui plusieurs jours durant et j'ai cru qu'elle souffrait de quelque grave maladie qu'elle me cachait. C'était cela qui m'inquiétait. Puis elle m'a appelé (au téléphone!) pour me dire qu'elle ne se voyait pas poursuivre notre relation parce qu'elle avait besoin de quelqu'un qui lui corresponde davantage et que, justement, elle l'avait trouvé, ce quelqu'un qui lui convenait mieux.

Ce coup de téléphone, on aurait dit une montagne qui s'écroulait subitement. Si ce n'est qu'il ne m'a fallu que quelques secondes pour digérer le choc (temporairement bien entendu!). J'aurais tellement voulu lui demander alors, après cette poignée de secondes, pourquoi elle ne m'avait pas annoncé la nouvelle de vive voix, mais je me suis abstenu de le faire. Elle a dû deviner toutefois ce qui me traversait l'esprit car elle m'a expliqué qu'elle avait préféré m'en informer ainsi plutôt qu'en tête à tête. («J'aime mieux comme ça!» a-t-elle dit en libanais.)

Je ne lui ai pas demandé qui était celui qui lui convenait

si bien, je n'ai pas voulu tomber dans ces enfantillages chers aux amoureux éconduits. « OK », ai-je seulement répondu en raccrochant.

C'était donc moi qui avais choisi de ne pas prolonger la discussion, moi qui avais raccroché sans hésiter ni tergiverser. Mon comportement l'a surprise, elle ne s'y attendait pas. Pour elle, c'était naturellement à l'amant délaissé de demander pourquoi on l'avait abandonné. Mais il n'était pas dans ma nature de jouer ainsi au chat et à la souris. (Quand nous étions adolescents, mes copains répétaient toujours, en français, cette phrase : Cours après une femme, elle te fuit ; fuis-la, elle te court après ! » J'avais l'impression de vivre dans un autre monde que le leur.)

Cet appel de Hama m'a tout de suite fait penser à Issa.

Il ne m'avait rien confié sur son divorce, à la suite d'un mariage qui n'avait duré qu'un peu plus d'un an, et pourtant nous étions amis. Quelques mois plus tard cependant, alors qu'il avait vraiment décidé d'arrêter de fumer, il s'était mis à répéter devant moi en français ces mots que Jean-Paul Sartre avait lui-même prononcés (non sans amertume) : « *Je ne suis qu'un pauvre masturbateur de bonnes femmes !*[*1] »

Issa croyait fermement que le philosophe français pensait à lui-même mais que le pronom de la première personne renvoyait également à tous les hommes, sans distinction de race ou de religion. Pour lui, ce « je » n'était pas seulement collectif mais universel.

---

1. Les phrases en italiques suivies d'un astérisque sont en français dans le texte original. (*N.d.T.*)

Issa me reprochait toujours de ne pas faire attention à ce qu'il racontait, d'autant plus que le cours des choses finissait en général par montrer qu'il avait raison. En 1977 par exemple, il avait prédit que l'Union soviétique s'effondrerait au maximum une dizaine d'années plus tard. Je m'étais même moqué de lui, lui disant qu'il devait être Dieu en personne car, des prédictions aussi graves, Dieu ne les confiait pas à ses prophètes préférés mais choisissait de les annoncer aux hommes en se passant d'intermédiaires… Il m'avait répondu sur un ton de colère et de défi : «Eh bien, commence à compter : dix ans!»

C'est encore Issa qui m'avait annoncé au lendemain de la fusillade de 'Ain Roummaneh, le 13 avril 1975, le véritable début de la guerre civile libanaise : «C'est parti!» Un peu agacé, surtout qu'il jugeait bon de me le répéter encore et encore, je lui avais répondu : «Bien sûr que c'est parti! Tu crois que tu as découvert le fil à couper le beurre? Qui est assez sourd pour ne pas entendre la fusillade, les explosions, partout dans Beyrouth?»

Il avait repris, encore plus sérieux : «Non, cette fois, c'est parti!»

Il prononçait cela de manière à signifier davantage que ce que les mots voulaient dire. Comme pour faire comprendre que les accrochages auxquels nous assistions n'étaient que le début d'une énorme explosion qui durerait des années, des décennies, avec tout ce que cela signifiait comme souffrances, comme destructions, comme saut dans l'inconnu. Désormais, quand on parlerait de «libanisation», ce serait pour évoquer les déchirures internes, l'autoannihilation, l'anéantissement.

C'est vrai, Issa, tu as toujours eu raison et les jours présents le confirment à nouveau.

Je me suis rappelé en cette même circonstance, à savoir le coup de fil de Hama, ce que m'avait raconté Hassan, une bonne dizaine d'années plus tôt (Hassan, ce n'est pas ainsi que doivent disparaître les amis!) :

«Sais-tu que quatre-vingts pour cent des femmes atteignent l'orgasme de dehors, et vingt pour cent seulement de dedans?

— Qu'est-ce que tu veux dire? lui avais-je demandé.

— Que quatre-vingts pour cent des femmes n'atteignent le summum du plaisir qu'à travers l'excitation du clitoris et que c'est une minorité seulement qui jouit grâce à la pénétration.

— Pas possible!»

Comme il croyait que je me moquais de lui en prétendant tout ignorer de la chose, j'avais ajouté :

«Non, je t'assure, je n'en savais rien. Je ne connaissais pas ces chiffres, moi qui ai déjà un bon demi-siècle derrière moi!»

Et un demi-siècle bien chargé qui plus est!

«Mais, d'expérience, tu ne trouves pas qu'on tombe rarement sur une femme qui jouit de dedans?

— Non, je n'ai pas eu l'occasion de le remarquer!»

Il s'était levé de la chaise qu'il occupait dans ce café et s'était mis à embrasser mes vêtements, comme s'il voulait s'imprégner de quelque fluide divin, comme un malheureux qui aurait croisé sur sa route un de ces hommes à qui Dieu accorde sa grâce :

«Personne n'est plus heureux que toi sur terre! C'est

aujourd'hui, aujourd'hui, que je comprends le secret de ton aura !

— Mon aura ?

— Parfaitement, ton aura !

— Une minute ! Je n'ai pas eu dans ma vie un tel nombre de femmes que tu puisses te fier à mon expérience ! Celles que j'ai connues se comptent sur les doigts d'une seule main ! »

J'aurais même pu ajouter « Et encore ! » si la honte ne m'avait retenu de le faire… « Et puis je suis loin d'être un expert en ces matières…

— Détails sans importance que tout cela ! Non, tu es un élu ! »

Des paroles, celles d'Issa, celles de Hassan, dont je me souviens aujourd'hui avec tristesse. Même si je me rappelle également ce jour où, mort de honte parce que Hama m'avait surpris en train d'avaler une pilule de Viagra, je l'avais entendue me dire que je n'en avais pas besoin ! Je me souviens bien qu'elle m'avait dit, textuellement (en libanais bien entendu !) : « T'en as pas besoin ! » Je ne savais pas encore que la pénétration, si elle lui apportait du plaisir, ne suffisait pas à la satisfaire totalement, qu'elle ne lui suffisait peut-être pas…

Hama m'a quitté à un mauvais moment. Elle m'a quitté au moment où le Liban tout entier menaçait de me quitter, à quelques semaines, quelques jours peut-être, d'une guerre civile à la mode irakienne. (Et dire que je n'ai pas, contrairement à elle, un passeport étranger et que si mon pays s'en va, et que je veux, moi aussi m'en aller, je ne le pourrai pas !)

Mais le plus fort dans cette affaire, c'est tout de même que je ne suis pas un gamin qui a toute sa vie devant lui, ni même un homme dans la force de l'âge, mais bien un type dans la soixantaine... Parfaitement, la soixantaine! Alors qu'elle n'a même pas quarante ans. («Je suis dans ma trentaine, répète-t-elle en souriant, pour se moquer, en trichant un peu sur son âge.)

Je suis dans la soixantaine, à coup sûr, mais en pleine forme, sans la moindre infirmité, si ce n'est une propention à oublier les choses. Et cela a tendance à augmenter avec le temps, mais doucement, d'une manière presque imperceptible. Quant à mes cheveux, ils sont tombés voilà longtemps sans que cela me gêne beaucoup. D'accord, mieux vaut en avoir mais, être chauve, ce n'est pas une honte non plus! Qui peut prétendre décrocher les étoiles? *C'est comme ça, c'est tout!** Et je n'y attache pas plus d'importance que cela.

Hama n'était pas gênée par ma calvitie. Au contraire, elle me faisait comprendre que ma tête, comme elle était, sans cheveux dessus ou autour, lui était chère. Elle y laissait courir sa main, elle l'embrassait, passait sa langue sur la sueur qui y perlait. Il lui arrivait même d'inventer des moyens de s'en servir pour atteindre son plaisir.

Quand je repense à tout cela...

Voici ce que j'ai écrit, le lendemain du jour où nous nous sommes rencontrés :

Brune, élancée comme un épi de blé et même un peu plus.
Souriante, d'une compagnie agréable.
Un corps où l'on chercherait en vain un défaut.

Elle va et elle vient comme un souffle d'air frais, comme
un sourire,
Comme une pensée qui fait du bien.
Chérie,
Comme une éternelle passante.
Il y a des femmes qu'on aime mais sans chercher à s'en
vanter…
Elle, si tu l'aimes, chemins et balcons fleurissent de tous
côtés…

C'est ainsi qu'elle m'apparaissait tandis que nous nous dirigions vers un café, juste après la conférence que je venais de donner à l'Université américaine de Beyrouth sur mon expérience d'écrivain.

L'invitation m'avait été adressée par une association d'étudiants en lettres arabes. Hama faisait partie de la délégation, composée de trois étudiantes, venue chez moi décider de l'heure et du sujet de cette intervention. Elle était clairement plus âgée que les deux autres, elle aurait presque pu être leur mère, ce qui méritait bien une explication. Elle m'avait précisé qu'elle avait quitté le Liban en 1975, au début de la guerre civile, pour vivre avec sa famille à Londres, où elle avait poursuivi ses études jusqu'à l'université. Une fois diplômée, elle avait travaillé plusieurs années dans la finance avant de partir pour Washington, où elle avait épousé un Anglais dont elle avait attiré l'attention au départ parce qu'il confondait un peu le Liban et la Libye (un pays où son père avait travaillé dans une société pétrolière)! Elle avait eu une fille avec lui puis elle l'avait quitté et elle était revenue, seule, vivre à Beyrouth.

(Elle était rentrée pleine de nostalgie et de désirs au bout de vingt-cinq années d'exil et avait fait naître en moi une passion dont j'avais honte – « Qu'est-ce que c'est que de pareilles bêtises ? !!! » –, me laissant en proie à des sentiments que je détestais et qui étaient l'exact contraire de tout ce que j'avais pris comme ligne de conduite personnelle : la jalousie, le désir de vengeance, l'impression de ne pas être à la hauteur, de me trouver blessé dans mon orgueil, humilié, toutes ces choses qui dégagent un parfum de pourriture…

C'est que je suis naturellement très mesuré : quand j'aime, ou quand je déteste, c'est sans excès. Je n'ai jamais éprouvé de sentiments dévastateurs pour ou contre quelqu'un ou quelque chose, pas plus en politique qu'en religion, et même pas pour une femme, tout simplement parce que j'ai cela en horreur, parce que j'ai honte de me laisser entraîner.)

Après la conférence, elle est sortie pour me saluer avec les autres. Mais elle a été la seule à m'accompagner et à me proposer d'aller « prendre un verre », si « j'avais un peu de temps » !

J'ai accepté de bon cœur sa proposition et je l'ai remerciée en sachant au fond de moi-même, à ma grande surprise, que j'acceptais en fait de nouer une relation avec elle. Pas une relation passagère, mais quelque chose de durable. Accepter son invitation, c'était accepter de lui retourner son amour, de lui rendre son désir.

J'ai accepté de bon cœur sa proposition, je l'ai remerciée, et elle m'a répondu quelque chose dont je n'ai pas compris un traître mot. Tout ce que j'ai pu distinguer, c'est qu'elle s'exprimait en anglais ! Je n'ai rien répondu, faute d'avoir compris quoi que ce soit, mais elle s'en est elle-même rendu compte et s'est empressée de traduire en arabe ce qu'elle venait de dire en me priant de lui pardonner.

«Mais il n'y a pas de quoi s'excuser», ai-je protesté, parfaitement sincère avec moi-même.

Pourquoi Hama s'était-elle sentie obligée de le faire?

Je suis d'un naturel prudent, je n'aime pas les situations embarrassantes. Je sais bien que les étudiants de l'Université américaine baragouinent en anglais, que certains d'entre eux, même, considèrent qu'il n'y a pas d'autre langue au monde. Elle leur suffit. Une attitude bien américaine d'ailleurs, que la langue, précisément, leur a inculquée, à coup sûr. Je ne sais pas bien comment mais je sens qu'ils n'attachent guère d'importance au mal qu'on peut se donner pour apprendre un autre idiome. De mon côté, je parle certes le français mais, aujourd'hui, cela ne sert plus à rien, ici en particulier. Les temps ont changé et le Liban ne vit plus au temps du mandat, quand le français était encore la langue par excellence, quand les gens qui avaient de l'ambition affectaient de mal parler l'arabe pour qu'on ne mette pas en cause leur totale dévotion à la langue française. Les temps ont changé, et il n'y a pas lieu de s'en étonner car c'est dans la nature des choses.

J'ai expliqué à Hama : «Je connais l'anglais mais je manque de pratique…»

J'ai tout de suite regretté ce que je venais de dire, cette manière de proclamer que j'appartenais bien au camp de ceux qui connaissent cette langue, comme si je l'acceptais implicitement et qu'il fallait seulement qu'ils acceptent de m'aider un peu. Je savais pourtant que je n'avais nul besoin de parler ainsi, que je justifiais par mes paroles leur façon de se comporter, que je leur reconnaissais une supériorité. Alors que je sortais à peine d'une conférence où l'on m'avait invité en tant qu'écrivain à m'exprimer à l'une des tribunes les plus importantes du pays !

Moi, un Arabe, écrivant en arabe, comment pouvais-je accepter la prééminence d'une autre langue que celle qui me fait respirer, l'instrument qui me fait atteindre quelque chose de plus important que la gloire ou même la célébrité, l'instrument qui me fait accéder à l'éternité ! Parfaitement, l'éternité ! Et puis je m'exprime très bien en français et j'en suis fier, d'ailleurs !

Mais l'incident a vite été surmonté, un incident dont Hama, d'ailleurs, n'avait certainement pas perçu toute la portée. Nous avons poursuivi notre chemin jusqu'au City Café, un des endroits chics de la ville, tout près de la résidence du Premier ministre Rafic Hariri et de l'Université libano-américaine (où les cours sont donnés en anglais et dont les étudiants baragouinent dans cette langue encore et encore). Un endroit parfaitement adapté à la circonstance.

Depuis l'Université, il ne nous a guère fallu plus d'un quart d'heure, au rythme où nous marchions. Quinze minutes durant lesquelles Hama m'a fait passer sur l'autre rive.

S'il faut le décrire, cela relevait du miracle !

Hama est bien capable de tels miracles, sans même s'en rendre compte. Quand nous sommes arrivés au café, j'avais déjà commencé à m'apercevoir que j'étais en train de vivre un moment important, quelque chose qui me faisait oublier les graves événements que traversait le pays et qui nous menaient aux portes d'une guerre civile meurtrière : le conseil des

Nations unies avait adopté la résolution 1559 qui réclamait le départ des troupes syriennes du Liban et le désarmement de toutes les milices au seul profit du pouvoir légal. Nous étions sur le point de connaître une succession d'assassinats, et celui dont Rafic Hariri allait être la victime ne serait rien d'autre qu'un épisode particulièrement sanglant.

C'est très difficile de décrire la manière dont les choses se sont passées, c'est même peut-être impossible. L'amour, tel que j'en ai fait l'expérience avec Hama, ne se décrit pas, il se vit. (Je sais combien de tels mots sont galvaudés, voire ridicules, mais cela ne m'empêchera pas de les utiliser!) Il faut donc que je me contente de rapporter comment les choses se sont passées lors de notre première rencontre. Elle m'a dit qu'en lisant mon dernier livre – le premier qu'elle avait jamais lu de moi – elle s'était fait une image de son auteur si précise qu'elle avait la certitude de pouvoir le reconnaître si elle venait à le rencontrer. Et de fait, c'était ce qui s'était passé lorsqu'elle était venue me rendre visite avec ses deux amies, elle m'avait tout de suite reconnu. Dès que j'avais ouvert la porte, son cœur s'était mis à battre sous le coup de la surprise. Je correspondais trait pour trait à l'image qu'elle s'était faite de moi en me lisant : mon visage, ma taille, la couleur de mes yeux, même ma voix correspondait parfaitement à ce qu'elle s'était imaginé!

J'ai senti que je perdais l'usage de la parole à l'entendre. Comme enivré, je me suis mis à bégayer tandis que ces vers d'Abû Nûwas, le poète irakien du IXe siècle, me revenaient à l'esprit :

Un vin jaune que la tristesse jamais ne gagne
Et qui rend la pierre qui l'atteint heureuse…

Voici ce que j'ai écrit le lendemain de notre rencontre :

« Hama est comme le vin d'Abû Nûwas.
Hama est pareille à un verre d'arak sur un promontoire de la montagne libanaise, dominant le paysage. »

Et ceci encore :

« Elle a coupé son téléphone.
Elle a voulu se couper du monde pour m'écouter, moi seul.
Elle m'écoutait de tout son corps tandis que je parlais. Son corps avalait mes paroles comme le sable brûlé par le soleil, l'eau. Mes paroles s'insinuaient en elle, la faisaient mûrir comme un fruit, toujours davantage.
Mes paroles étaient ce bois qui allumait le brasier de ses yeux.
Quand nous nous frôlions par accident en marchant côte à côte, je sentais comme un courant violent passer de son corps vers le mien alors que nous étions en hiver, couverts d'épais manteaux. »

Plusieurs semaines plus tard, elle m'a dit que sa vie trouvait son accomplissement grâce à cette rencontre, et que peu lui importait de mourir désormais. Elle m'a dit encore que cette rencontre lui avait également donné une force capable de durer pour l'éternité.

Y a-t-il rien de plus beau?

Je n'en rêvais pas, je n'aurais jamais pensé vivre des sentiments aussi denses, aussi profonds. Forts, profonds et apaisants à la fois.

En quinze minutes, Hama m'a fait passer sur l'autre rive, sur la rive opposée à tout ce à quoi j'avais consacré ma vie jusque-là, moi qui suis en principe d'un autre genre, moi qui ne crois pas à l'amour, comme mon père à qui je ressemble tant et qui me disait : «Ce qui peut arriver de pire à quelqu'un, c'est de désirer une femme, d'en avoir besoin, surtout sexuellement. Cela peut lui ôter toute dignité!»

Quinze minutes ont suffi à Hama pour me transporter sur l'autre rive, en détruisant tous les ponts et en rendant tout retour en arrière impossible.

Mon père me disait : «Marie-toi si tu veux mais garde tes distances avec ta femme. Dis-lui "vous" si ça te chante, parle-lui comme tu parlerais à quelqu'un que tu ne connais pas. Fais-lui l'amour juste pour avoir un gosse, comme ces poètes arabes du temps jadis qui prônaient l'amour courtois et ne voyaient dans l'union charnelle qu'un moyen d'assurer une descendance. Mais ne va pas les imiter et mettre comme eux la femme sur un piédestal!»

Mon père me disait : «Fais l'amour à ta femme juste autant de fois que tu veux d'enfants. Pas une fois de plus! Fais comme les animaux qui ne pensent qu'à la procréation. Si le désir t'emporte, va au quartier réservé et trouve ton plaisir avec les putains. Ce sont les meilleures des femmes, les plus douces et les plus humaines.» (Aujourd'hui, ces paroles que m'adressait mon père me font penser à des romans français que j'ai lus depuis, des romans qui font l'éloge de l'œuvre pleine d'humanité qu'accomplissent les putains. Je pense en particulier à un texte d'Émile Ajar dans lequel un homme se rend chez une fille pour briser son isolement et sa solitude.)

Mon père était très différent des autres hommes de sa génération, de ses amis. Certains le trouvaient même bizarre! Dans son entourage, on considérait que le mariage était un devoir, pas un choix, parce que se marier était une manière de se conformer aux prescriptions de la religion et que celui qui ne le faisait pas n'allait pas au bout de ses obligations religieuses.

Et puis un père ne conseille pas à son fils d'aller voir les prostituées, surtout dans des milieux aussi conservateurs socialement, même si, politiquement, on professait alors des idées plus avancées, même si on était viscéralement hostile au capitalisme occidental et aux États-Unis en particulier, alliés d'Israël, et même si on soutenait indéfectiblement le camp socialiste avec, à sa tête, l'Union soviétique, authentique amie des Arabes!

Mon rêve était de lui ressembler, tant ses idées et sa façon d'être, sa façon de parler surtout, m'impressionnaient. Le plus étonnant pour moi c'est que mon père qui parlait ainsi du sexe et des relations entre hommes et femmes aimait, sans aucun doute, ma mère, et qu'il couchait avec elle plus de fois qu'on ne lui connaissait d'enfants (il en avait engendré cinq). Je le dis parce que je les voyais faire, je les ai vus faire bien plus de fois que nous étions d'enfants. Chaque fois qu'ils se disputaient, qu'ils criaient, cela se terminait par une étreinte, debout dans la cuisine, dans la salle de bains ou dans la chambre à coucher, enfin partout où ils pouvaient être tranquilles à ce moment-là.

Traduit par Yves Gonzalez-Quijano

HASSAN DAOUD

HASSAN DAOUD est né en 1950 à Beyrouth. Après des études de littérature arabe, il travaille en tant que journaliste pendant la guerre civile. Il est alors correspondant du quotidien arabe international *al-Hayat*, publié à Londres. Son premier roman, *L'immeuble de Mathilde*, paru à Beyrouth en 1983, souligne à la fois la diversité de la ville et l'intimité paradoxale qui y régnait en temps de guerre. D'inspiration autobiographique, il restitue l'incroyable mosaïque de personnes venues de tous horizons, de France comme de Russie, et de toutes confessions qui cohabitaient dans un immeuble de Beyrouth-Ouest, aujourd'hui détruit. Sans jamais évoquer la guerre directement, le roman décrit le lent délabrement qui s'empare du lieu et des êtres. Tout s'effrite et s'effondre à mesure que progresse le conflit. Dans un autre récit, *Des jours en trop*, il dépeint la lutte acharnée contre la vieillesse que mène un grand-père arrivé à sa quatre-vingt-dixième année et qui a décidé qu'il n'avait pas assez pris le temps de vivre. Inspiré de l'histoire vraie du grand-père de l'auteur, ce roman, qui se déroule en longs monologues, nous éclaire sur l'écart qui existe entre les premiers émigrants du Sud venus s'installer à Beyrouth et leur descendance. Enfin, son dernier roman, *Le chant du pingouin*, dépeint l'univers d'un handicapé perdu dans les labyrinthes de Beyrouth. Il a obtenu le prix du meilleur livre au Liban en 1998. Ses romans intimistes, servis par une langue épurée, nourris par la trajectoire personnelle de l'auteur, nous racontent, notamment avec *L'immeuble de Mathilde*, à quel point, paradoxalement, les hommes peuvent révéler la meilleure part de leur humanité en temps de guerre.

DU MÊME AUTEUR EN FRANÇAIS
Le chant du pingouin, traduit par Nada Ghosn, Éditions Actes Sud, 2007
Des jours en trop, traduit par Edwige Lambert, Actes Sud-Sindbad, 2001
L'immeuble de Mathilde, traduit par Youssef Seddik, Actes Sud-Sindbad, 1998

PREMIÈRE NUIT
D'ENCHANTEMENT

Il y a quelque chose qui cloche, sur cette photo… C'est seulement maintenant – bien que ce ne soit pas la première fois que je la regarde de près – que je m'en aperçois, m'arrêtant, pendant quelques instants, de chercher obstinément le papier que j'ai dû mettre là, dans ce tiroir. C'est seulement maintenant que je m'en avise : cette photo défie toute logique.

Depuis cinq ou six ans que je la conserve, elle a souvent retenu mon attention. Dix fois, vingt fois… davantage peut-être. Aujourd'hui je sais que, lorsque je la regardais, je voyais toujours la même chose. Ou bien je posais sur elle le même regard que la première fois, lorsque ma tante, dans la maison où nous avions vécu tous ensemble et que nous avions quittée quelque trente ans plus tôt, avait apporté cette vieille boîte et m'avait montré les photos qu'elle contenait :

« Tu connais ces deux filles ? » m'avait-elle demandé en me tendant une photo.

Je n'avais pas hésité longtemps :

« Farha et Marha [1] ! »

C'était en 1962, le soir du mariage de mon oncle paternel. Farha et Marha, que l'on avait fait venir afin qu'elles chantent pour ses noces, étaient d'autant moins faciles à oublier qu'elles étaient liées, elles ou leurs noms, à bien des aspects de ce passé. Pendant des années, voire des décennies – comme aimait à le dire un de mes amis lorsqu'il lui prenait de plaisanter sur notre âge –, chaque fois que j'évoquais cette soirée, il me venait d'abord ce double nom… Un seul nom pour deux jeunes filles, tel était le sens que je lui donnais à l'époque. Car elles ne se distinguaient l'une de l'autre qu'autant que le « F » de Farha se distingue du « M » de Marha. C'étaient, d'après ce que je me rappelle, de vraies jumelles, et elles accentuaient leur ressemblance en portant des robes,

---

1. Ces noms font allusion à une expression populaire que l'on peut rapprocher, dans une certaine mesure, de l'expression française « être comme cul et chemise ». Ainsi dit-on de deux femmes à la fois inséparables et un peu sottes qu'elles sont « Farha et Marha ».

comme sur cette photo, qui étaient pour ainsi dire la réplique l'une de l'autre. Sans doute en était-il de même de leurs chaussures (mais une seule d'entre elles apparaît clairement sur la photo) ainsi que d'autres éléments, comme leur coupe de cheveux, bien qu'une ombre, sur le cliché, empêche de voir si elles ont la même. Enfin, elles chantaient les mêmes chansons, de leurs deux voix parfaitement à l'unisson.

Dans mes souvenirs, Farha et Marha se présentaient comme deux êtres qui s'évertuaient à ne faire qu'un, tout comme elles évoquaient, elles ou leurs noms, bien d'autres choses qu'elles-mêmes. Jusqu'à sa mort, il y a juste deux ans, 'Ali Sa'id, le cousin de mon père, faisait surgir de ma mémoire les noms de Farha et Marha chaque fois que je le rencontrais. C'est lui qui était entré en contact avec elles afin qu'elles chantent pour les noces de l'oncle. Il insinua, ce soir-là et plusieurs fois par la suite, qu'il les connaissait bien plus que nous ne le pensions. Et puis c'étaient des artistes que nous voyions en chair et en os, pas à la télévision ni en photo, sur des magazines, et, pour ce qui était de la voix, c'était bien autre chose que d'écouter une chanson à la radio. Des artistes que nous voyions chez nous, sur le toit en terrasse de notre maison où se déroulait la fête.

Moi qui avais douze ans à l'époque, je me mis à songer qu'elles n'étaient pas tout à fait réelles, et même qu'elles faisaient semblant d'être des artistes ; à moins qu'elles ne fussent dans une étape intermédiaire entre la condition d'artiste et celle, ordinaire, qui était la nôtre ou celle des invités. Ces pensées ou ces doutes ne me vinrent pas de leur prestation – elles chantaient avec un orchestre, comme de véritables artistes –, mais des propos banals qu'elles échangèrent,

quand elles arrivèrent, avec les gens et notamment avec 'Ali
Sa'id, qui les attendait au seuil de la terrasse. Et ce n'est pas
d'un esprit précocement retors que naquirent mes soupçons,
mais plutôt des questions qui me taraudaient, nourrissant
mon incrédulité : si elles étaient de vraies artistes, pourquoi
ne les voyait-on pas à la télévision ? Pourquoi personne
n'avait-il entendu parler d'elles à l'école, ou dans le quartier
de Manla où nous jouions ? Enfin, si elles étaient bien ce
qu'elles prétendaient être, comment 'Ali Sa'id pouvait-il
leur parler comme je l'avais entendu le faire ?

«Tu n'as pas d'autres photos de la noce ?» ai-je demandé
à ma tante.

Elle ne possédait que celle-ci. Pourtant, je m'en souvenais,
le photographe convié pour l'occasion n'avait pas lésiné : les
éclairs de son flash, aussi bruyant qu'aveuglant, jaillissaient
aux quatre coins de la terrasse. Ma tante, répondant à ma
question, a déclaré que nul ne savait comment ces photos
s'étaient égarées. En dépit de son intonation désolée, j'ai
pensé que c'était elle, probablement, qui en avait délibéré-
ment fait disparaître un certain nombre – celles, surtout, où
apparaissaient Farha et Marha. Pourquoi, alors, avoir gardé
celle-ci ? Sans doute était-elle tombée sur cette photo dix ou
quinze ans après avoir «égaré» ou déchiré les autres. Soit,
mais pourquoi n'avoir pas déchiré celle-ci aussi lorsqu'elle
l'avait trouvée ? On peut supposer que sa jalousie envers les
jumelles s'était alors atténuée et que 'Ali Sa'id, son époux,
n'était plus ce qu'il avait été : un séducteur et un coureur de
jupons.

J'ai demandé à ma tante si elle avait d'autres photos car,
malgré la présence sur celle-ci de Farha et Marha, je ne

pouvais considérer que ce que j'avais gardé en tête de cette noce – ou, disons, ce dont je me «souvenais» – correspondait à ce qui y figurait. Images que ma mémoire avait captées et qui auraient été, si on les avait tirées sur ce papier épais, figées et inertes comme cette photo. Car la mémoire ne fabrique pas de films, comme au cinéma; elle enregistre de manière photographique, ne retient de la scène qu'un seul cliché. C'est une seule vue que j'avais prise de Ramez – il avait alors dans les quinze ans – simulant l'ivresse, un verre vide à la main. Car il avait aperçu dans un coin de la terrasse, posées dans une caisse recouverte, deux bouteilles, une de whisky et une de vin, pour que puissent se servir discrètement, feignant de consommer autre chose, ceux qui aimaient l'alcool. Une seule vue, une seule image de l'oncle maternel de mon père – bien qu'il eût le même âge – dansant avec, sur la tête, une gargoulette pleine d'eau. Une seule vue du portefaix transportant une énorme caisse remplie de bonbonnières pour les distribuer aux invités en souvenir de la noce. Ces bonbonnières nécessitant à leur tour une prise de vue spécifique pour que je voie les motifs rose et vert pastel peints sur leurs couvercles de porcelaine.

La mémoire, donc, est photographique. Elle glane des images fixes. Si nous croyons que les souvenirs nous viennent avec des choses mobiles, comme la main de Ramez, par exemple, qui tient le verre vide puis le lève d'un coup, de bas en haut, ce n'est qu'une espèce d'illusion. Si mouvement il y a, il se produit en un clin d'œil ou s'interrompt à peine commencé. En un clin d'œil à peine, le mouvement surgit de l'image fixe du souvenir. Et ce mouvement, nous le trouvons aussi sur de vraies images, des photographies,

parmi lesquelles celle de Farha et Marha où l'une d'elles
(nous ne savons pas, de ces deux noms, lequel elle porte,
mais de toute façon c'est celle qui est debout près du public)
semble ajouter quelque chose de mouvant à son image fixe.
Il nous vient à l'idée que le mouvement de ses mains, le
déclenchement de l'appareil ne l'arrête pas complètement ;
il se poursuit au-delà, même si c'est pour un laps de temps
si infime qu'on ne peut le mesurer.

J'avais besoin de voir d'autres photos parce que celle-ci,
que ma tante m'avait montrée, brouillait ce que j'avais retenu
de cette soirée. Au bout de quarante ans, et sans doute depuis
quelques années déjà, il ne restait dans ma mémoire, de
Farha et Marha, que ce nom géminé désignant deux jeunes
filles qui avaient quasiment perdu leurs traits. Comme si, ce
soir-là, je ne les avais pas vues ; ou comme si ce à quoi je
m'étais attaché, toutes ces années, avait continué à s'ame-
nuiser et à s'effacer, jusqu'à ce qu'il ne subsiste plus que ce
nom double qui leur donnait forme au gré de ses lettres et
de sa sonorité. J'avais besoin d'une autre photo – ou d'autres
photos – pour être sûr que, ce dont je ne me souvenais pas,
je ne m'en souvenais vraiment pas.
Ma tante, avec sa photo, a brouillé ce qui, de cette nuit de
fête, subsistait dans ma mémoire. Les hommes assis là, ou
ceux de derrière, je ne les connais pas… Je n'en connais
même aucun. Ce sont peut-être des proches parents de la
fiancée, ou des invités de mon père ou de 'Ali Sa'id. Et je
redis ici ce que je disais plus haut, au tout début de ce récit :
il y a quelque chose qui cloche, sur cette photo. S'il s'agit
bien de la noce, c'est une anomalie qui prête à rire :

comment est-il venu à l'idée des organisateurs de la soirée d'installer les convives, ou les spectateurs, de façon qu'ils doivent tourner la tête pour regarder chanter Farha et Marha ? Il aurait été plus digne d'elles, et beaucoup plus simple, que les deux sœurs se trouvent face au public et non à sa gauche. Cette erreur est même accablante si l'on considère que les rangées de spectateurs se succédaient jusqu'au fond de la terrasse et que ceux qui étaient derrière, assis ou debout, écoutaient les chansons sans avoir le plaisir de voir celles qui chantaient.

J'avais besoin d'autres photos m'indiquant qu'il y avait bien adéquation entre ce dont je me souvenais et ce qui était réel dans cette soirée.

« Ton oncle doit en avoir, des photos. Pourquoi ne vas-tu pas chez lui ? »

Moi, je ne suis pas certain qu'il ait gardé des photos de son mariage. Non seulement parce qu'il n'aime pas les photos, mais aussi parce qu'il n'aime rien de ce genre. Par exemple, quand il va de Beyrouth à Baalbek en voiture, il ne met pas la radio pour écouter des chansons pendant le trajet. Il n'est jamais allé au cinéma. Il ne lui est jamais arrivé de recevoir une lettre, ni d'en écrire une. Farha et Marha, c'était l'affaire de 'Ali Sa'id, comme on le répétait dans la famille. L'orchestre aussi était son affaire. Enfin l'oncle, par-dessus le marché, n'assistait pas à ses noces – à ses propres noces –, c'est du moins ce que je crois, car je ne me souviens pas du tout l'y avoir vu. Il n'échappera à personne que cette réflexion sur l'absence de mon oncle à ses noces n'est pas à prendre en compte, qu'il ne convient pas d'en faire cas, puisque je ne me souviens pas non plus de l'orchestre… Toutefois, il ne faut pas que ces oublis me dissuadent de persévérer, d'essayer de reconstituer cette soirée, ou cette fête, à partir de ce dont je me souviens encore. Ceux qu'on voit regarder Farha et Marha ne représentent pas toute la noce. S'il en était ainsi, où serait 'Ali Sa'id? Et Ramez? Où est mon père, et où suis-je moi-même? Ensuite, où se trouve le groupe de poésie improvisée dont les quatre membres étaient assis là, sur une table, au milieu de la terrasse? L'un d'eux avait commencé par réciter, en l'honneur de la famille, un poème dont j'ai retenu le premier vers pendant une durée que j'estime aujourd'hui à sept ou huit ans.

Cette photo ne représente pas toute la noce : il n'est pas concevable qu'on ait donné une si grande fête – pour laquelle on avait fait venir non seulement les deux sœurs, mais aussi un orchestre pour les accompagner, ainsi qu'un groupe de poètes qui «avait fait merveille», comme on l'a répété à la maison pendant des années – pour une assistance aussi restreinte. Il n'est pas concevable qu'il y ait eu si peu d'invités pour des noces qui avaient coûté, d'après mon père, soixante et un mille livres, une somme considérable à l'époque, et que l'on n'aurait pas atteinte si lui-même n'y avait ajouté l'équivalent de ce que son frère avait déjà déboursé, y compris les meubles de la chambre, le salon, la batterie de cuisine, et ce tapis persan de couleur turquoise qui valait à lui seul trois mille huit cents livres.

Le micro derrière lequel se tiennent les sœurs, je n'en ai pas souvenance, mais je sais qu'il y en avait un en raison des trois haut-parleurs qui s'élevaient sur la cheminée, et qui répercutaient les bruits de la fête dans le voisinage. Cela n'avait dérangé personne car, au matin, al-Naqquzi, propriétaire d'une échoppe sur la route qui mène vers ʿAycha Bakkar, m'avait arrêté et demandé en souriant : «Qu'est-ce qui se passait donc chez vous, hier?» Autrement dit, les gens du quartier avaient entendu et savaient que c'était chez nous qu'il se passait quelque chose. Les ampoules éclairant la scène, en haut, je ne me les rappelle pas exactement, mais je crois qu'elles étaient ainsi, réparties sur des fils électriques, car je me souviens parfaitement du fil identique qu'on avait fait descendre, avec ses ampoules, par la cage d'escalier, du cinquième étage au rez-de-chaussée, près de l'entrée de l'immeuble.

Ce qui figure sur le cliché, ce n'est pas toute la noce. Je sais que les hommes qui sont là, dans un coin de la photo, ne représentent qu'une partie de ceux, certainement fort nombreux, qui étaient assis ou debout face à Farha et Marha, et face à l'orchestre derrière elles. J'étais là, sans doute, près des hommes qui se trouvaient dans le fond. À l'époque, personne ne faisait grand cas des gamins. Mais j'étais content néanmoins, m'amusant des gesticulations de Ramez et riant de ses plaisanteries avec les enfants de nos proches, dont je ne me souviens plus lesquels étaient de la fête. En tout cas, nous riions de Ramez et lui demandions, tandis qu'il feignait l'ivresse : «Combien de verres as-tu pris, Ramez?» Et lui de répondre, faisant semblant de tituber et de bafouiller : «Trois verres…»

La noce était bien plus importante que nous ne le pensions, outre ceux, forcément nombreux, qui étaient face à Farha et Marha. Car elle se déroulait aussi dans l'escalier, dont on ne cessait de gravir ou de dévaler les marches illuminées. Et elle se déroulait également dans notre maison, au cinquième étage, qui n'était séparé de la terrasse que par quelques marches elles aussi dévolues à la fête. Chez nous, en bas, on préparait tous les mets avant de les transporter là-haut sur de grands plateaux. Il s'agissait non seulement de garnir les plats et de les décorer, mais aussi de les cuisiner : à l'époque, il n'était pas dans les habitudes de recourir à des traiteurs. On confectionnait à la maison tout ce qu'on présenterait aux invités, là-haut, sur la terrasse, et, pour cette raison, les femmes se rassemblaient chez nous ; si l'on n'en voit pas une seule parmi les spectateurs qui apparaissent sur la photo, rassemblés près de Farha et Marha, c'est qu'elles n'y étaient pas.

Les hommes sur la terrasse et les femmes chez nous… Je ne sais pas si l'on avait fait descendre Farha et Marha, à la fin de leur récital, pour qu'elles chantent quelque chose aux femmes. Mais je peux dire que celles-ci célébrèrent la noce à leur manière, c'est-à-dire, du moins je l'imagine, qu'elles mêlèrent le plaisir à la tâche : certaines dansaient, d'autres aidaient à accueillir les invitées, d'autres encore donnaient le sein à leurs jeunes enfants puisque les hommes n'étaient pas dans les parages.

Il n'y avait donc sur la terrasse que des hommes. Farha et Marha étaient seules parmi eux, mais aucun ne se montra offensant ni importun. Non seulement parce qu'ils assistaient aux noces de l'oncle, mais aussi parce que Farha et Marha, tout en minaudant tandis qu'elles chantaient, demeuraient, face à eux, protégées l'une et l'autre par le lien qui les unissait ; ainsi ces hommes se souvenaient-ils qu'eux-mêmes avaient des sœurs. De plus, Farha et Marha désarmaient toute excitation du simple fait qu'elles arboraient des robes en tout point identiques. Ainsi évoquaient-elles deux petites sœurs jumelles, deux gamines qui se produisent à la fête de l'école. Peut-être même leur mère les avait-elle accompagnées, suggéra quelqu'un, mais celle-ci, si elle était effectivement présente, ne monta pas sur le toit et resta à les attendre à la maison, en compagnie des autres femmes.

Si elles évoquaient deux jumelles qui chantent à la fête de l'école, pourquoi cette rumeur provoquée par ʿAli Saʿid et qui fit dire à nos proches que, s'il avait convié à la noce certains des invités, c'était une manière de suggérer que le spectacle qu'il leur montrait était sa seconde vie ?

Aujourd'hui, je sais que nous nous méprenons quand nous pensons que les gens sont tels que nous les voyons ou tels qu'ils nous apparaissent. Et je sais aussi que Farha et Marha faisaient peut-être le contraire de ce que font les artistes : elles chantaient en veillant à ne faire montre d'aucune provocation ; mais lorsqu'elles ne chantaient pas ou n'étaient pas dans une fête, devant un public, elles se prévalaient de leur statut d'artistes et se comportaient à leur guise. ʿAli Saʿid, s'il y avait quelque chose entre elles et lui, les rencontrait dans leur cadre quotidien, chez elles par exemple, ou dans un autre endroit que je n'ai jamais pu, pendant toutes ces années, imaginer. De même que, pendant tout ce temps, je ne me suis jamais demandé pourquoi j'associais ʿAli Saʿid aux deux sœurs. J'aurais dû, au bout d'un moment, penser qu'il était l'intime de l'une d'elles, Farha ou Marha, et que l'autre fermait les yeux, voire était complice – comme on l'est entre amies – lorsqu'elle voyait les deux autres se cajoler ou se faire des œillades. Pourquoi cela ne m'est-il jamais venu à l'idée ? Sans compter que ma tante, l'épouse de ʿAli Saʿid, avait résolu, assez tardivement en cette année 1962, de dire à son mari de quitter le domicile «à cause de Farha et Marha» – à cause d'elles deux.

Cette année-là, comme pendant celles qui ont suivi, la question de Farha et Marha n'a pas seulement concerné ma tante et ʿAli Saʿid ; elle est devenue un des problèmes de toute la famille. Quand j'y repense aujourd'hui, je m'avise que Farha et Marha étaient devenues un symbole : celui des escapades extraconjugales de tous les maris. Elles en étaient devenues le nom : tout en pensant que ʿAli Saʿid était peut-être l'amant d'autres filles, les femmes de nos proches disaient qu'il avait pour maîtresses Farha et Marha. Dans la famille, leur nom continuait d'évoquer un certain climat, et cela longtemps après qu'on eut oublié qu'elles avaient chanté aux noces de l'oncle.

De cette époque, il n'y avait chez ma tante que cette photo. J'aurais tant aimé avoir d'autres photos où les visages de Farha et de Marha, au moins, seraient apparus claire-ment…

Cette photo est beaucoup plus limitée que ce que j'ai retenu de cette soirée. De plus, elle m'a induit en erreur sur des aspects que j'avais considérés pendant quarante ans comme incontestables. Ma femme m'a dit, après les avoir vues sur le cliché, que Farha et Marha n'étaient pas, comme je le pensais, la copie conforme l'une de l'autre. Je le subo-dorais déjà quand la photo a ressurgi sous mes yeux tandis que je fouillais dans le tiroir. Mais j'avais oblitéré tout soupçon par une rapide opération mentale grâce à laquelle ce dont je me souvenais l'emportait sur ce que je voyais. Ce dont j'étais disposé à me souvenir, ou ce dans quoi je m'étais réfugié, pendant toutes ces années, je ne voulais pas que ce ne fût pas vrai. Je ne voulais pas que ces noces fussent une chose, et autre chose le souvenir que j'en gardais. Lorsque ma femme, ayant examiné la photo, m'a dit que leurs coupes de cheveux n'étaient pas les mêmes – autrement dit, que chacune avait choisi la coupe qu'elle estimait le plus seyante pour elle –, j'ai ressenti une sorte de tremblement, comme si le « F » de Farha s'éloignait du « M » de Marha. J'ai tressailli de nouveau quand ma femme a déclaré que celle-ci – la plus proche du photographe – était plus aguicheuse que sa sœur, car sa robe lui arrivait au-dessus du genou. « D'ailleurs, elles ne se ressemblent pas », a ajouté ma femme, créant ainsi entre les deux noms une sorte de répulsion, si bien qu'en les associant dans la même expression on avait tout l'air de se moquer du monde.

J'aurais aimé avoir d'autres photos pour faire coïncider ce que je voyais avec les images qui me restaient en mémoire. J'avais besoin de ces autres photos, celles que ma tante avait peut-être perdues, ou déchirées, pour corriger, d'après ce que me dictaient mes souvenirs, les erreurs que ce cliché accumulait. J'aurais aimé avoir d'autres photos ; je les aurais mises l'une à côté de l'autre, je les aurais juxtaposées des quatre côtés – et non d'un seul – jusqu'à ce que m'apparaisse, de par cet assemblage, la terrasse tout entière, comme dans ces jeux de Lego que nous offrons à nos enfants pour stimuler leur intelligence. J'aurais aimé avoir de grandes photos, aussi grandes que les gens l'étaient dans mon souvenir. Rassembler des fragments de toute la terrasse, sa vaste surface divisée par la petite chambre qui figure sur cette photo-ci, derrière les musiciens, avec ses murs, sa fenêtre, ses volets.

Je suppose que le jeune Français qui l'habitait était absent ce soir-là. Il avait clos les volets avant de sortir. Et il avait fermé la porte après avoir éteint la lumière. C'étaient nos ampoules à nous qui éclairaient l'intérieur de la pièce, que la vitre opaque ne parvenait pas à masquer.

La présence de cette chambre morcelait l'assistance, mais c'est le seul élément qui soit resté comme dans mon souvenir. À l'âge que j'avais alors, je rêvais que mon père la loue pour que je puisse l'habiter tout seul. « J'y réviserai mes leçons, lui disais-je, mais les repas, je continuerai à les prendre en bas, à la maison. » Je m'imaginais vivant seul sur le toit, non pas tant pour étudier que pour être libre, indépendant, dans la petite maison que j'emplissais de rêveries et de fantasmes, comme en attente d'un temps à venir où ces rêves pourraient se réaliser. Il me semblait que cette vaste terrasse était à moi, à moi seul, sans même savoir ce que j'allais en faire.

C'est alors que le jeune Français donna son congé, laissant la chambre close – mais la porte pouvait s'ouvrir à qui voulait entrer. Quant à nous, nous songions aussi à quitter la maison pour gagner un lieu de résidence qui changeait quasiment tous les ans. Cet été-là, quand il me fut possible d'entrer et de sortir de cette chambre sans en être empêché par personne, je ne m'y attardai pas : je n'y demeurai, chaque fois, que quelques minutes. Elle était vide et ce n'était pas la peine de la meubler de nouveau, puisque le propriétaire l'avait laissée ainsi : la porte grande ouverte. Mais en ce qui concerne cette chambre aussi, je procédai dans mes souvenirs aux coupes nécessaires pour qu'elle demeure ce qu'elle avait été : une petite maison que je rêvais d'habiter dès que le jeune Français l'aurait quittée.

*

Je ne sais pourquoi, chaque fois que j'évoque cette soirée, je songe qu'elle a été la fin d'une période de ma vie et le début d'une autre. Je songe que cette nuit-là a séparé deux époques – c'est peut-être ce qui caractérise les jours où se déroulent des événements exceptionnels. Ainsi Federico Fellini, à la fin d'*Amarcord*, montre-t-il des jeunes gens qui disent adieu à leur jeunesse, en même temps qu'à *la* femme du village qui suit son fiancé dans son village à lui.

En ce qui me concerne, peu de choses changèrent après ces noces. Mon oncle paternel quitta notre maison, mais de toute façon il n'y venait que pour dormir. Ma mère, ma tante et d'autres proches parentes s'empressèrent, bien entendu, de remettre à leur place les chaises et les canapés, qu'on avait poussés le long des murs pour accueillir les invitées. La terrasse aussi redevint ce qu'elle avait été : une surface vaste et vide qui entourait la chambre du jeune Français.

Peu de choses changèrent après cette soirée ; pourtant, je faisais mes adieux à l'âge qui était le mien, je l'avais scellé lorsque je me tenais, là-bas, dans l'une des images de la mémoire – une image photographique, comme je l'ai dit plus haut –, appuyé contre ce mur, puisqu'il n'y avait personne derrière moi.

Cette nuit-là a séparé deux époques. Peut-être en était-il ainsi parce que, chaque fois que j'évoquais l'oncle de mon père, dansant avec une gargoulette sur la tête, je me disais : comment est l'oncle, à présent ? Ou bien je me souvenais, tandis que je voyais Ramez changer au fil des ans, de sa façon de simuler l'ivresse sur la terrasse. 'Ali Sa'id aussi, j'ai continué à le voir, jusqu'à sa mort, tel qu'il était lors de cette soirée puis, de là, tel l'homme que cet imam avait fait de lui : quelqu'un pour qui ne comptaient plus que son travail et ses enfants, et, plus encore, qui négligeait sa mise et son apparence et ne se retournait plus sur les filles passant devant son échoppe. C'est là une lubie passagère, disaient les femmes proches de la famille en le voyant entrer dans la maison avec sa barbe et ses cheveux trop longs, tandis qu'il ne s'asseyait plus en leur compagnie pour plaisanter avec elles.

'Ali Sa'id, je l'imagine à partir de cette soirée – à partir de cette allure qu'il n'a jamais retrouvée. Quant à Farha et Marha, je n'en ai plus entendu parler, sauf quand les mentionnaient des gens qui avaient assisté à la fête. Comme si elles, les artistes, n'avaient jamais chanté ailleurs qu'à ces noces. J'ai continué, pendant de longues années, à demander à mes camarades d'école s'ils connaissaient deux artistes, deux sœurs nommées Farha et Marha. Aucun ne les connaissait. Elles étaient par leur présence, que nul d'entre nous n'avait oubliée, même des années après, des artistes célèbres… mais dans notre seule famille.

Elles sont demeurées là-bas, dans cette soirée de l'année 1962, et elles ne sont jamais réapparues au cours des années qui se sont succédé. Même les gens ordinaires, ceux qui ne sont pas des artistes, finissent par ressurgir ou être mentionnés un jour ou l'autre, c'est quasi certain. Elles, elles ont disparu. Ou peut-être – c'est ce qui a dû arriver – se sont-elles dépouillées de leurs noms, à coup sûr empruntés, et ont-elles repris les leurs, des noms qui ne diffèrent pas de ceux des filles de bonne famille que nous connaissons.

«Cette photo, tu me la rendras», m'a dit ma tante.

Tandis que je glissais la photo dans le livre que j'avais sur moi et m'apprêtais à lui dire de rester assise, de ne pas se lever pour me saluer, je lui ai demandé si elle savait quelque chose de Farha et Marha.

J'avais eu tort d'évoquer le sujet : comme prise au dépourvu, elle a levé les yeux et m'a lancé un regard qui m'a fait penser un instant que le trouble de jadis ne l'avait pas quittée et qu'il valait mieux que je ne la questionne pas – moi, le fils de son frère – sur les femmes que son mari avait connues.

«Je n'en sais rien, moi… Peut-être que 'Ali Sa'id savait quelque chose…»

Traduit par Edwige Lambert

TAMIRACE FAKHOURY

TAMIRACE FAKHOURY est née en 1974 à Beit Chabab, au mont Liban. Elle a publié à l'âge de neuf ans un recueil de poèmes en arabe, *Le pays de l'empereur et de l'enfant perdu*, et par la suite trois recueils de poèmes en français aux Éditions Dar an-Nahar. Sa poésie est sobre, va à l'essentiel. Dépouillée de métaphores, elle oscille entre célébration du vivant et hantise de la mort, cette mort trop souvent côtoyée durant son enfance dans la montagne. Ses poèmes sont publiés dans des revues au Liban, en France, au Canada et en Allemagne. Actuellement enseignant-chercheur à Fribourg, en Allemagne, où elle vit, elle a soutenu sa thèse de doctorat en sciences politiques sur le Liban d'après-guerre.

DU MÊME AUTEUR
Poème absent, Éditions Dar an-Nahar, Beyrouth, 2004
Contre-marées, Dar an-Nahar, 2000
Aubades, Dar an-Nahar, 1996

JE NE TE VERRAI PLUS

Mi-bête
Mi-arbre
Régularité du hasard
Tu t'en vas vers le bois enchanté
Je ne te verrai plus

Être ta femme
Ou l'âme du paysage
Être le canal de ton corps
Ou le premier plan du rêve

Être la fleur de lys sur le platane mort
Ou le voyage des météores
Après ce triste septembre

Être la gardienne du château
Ou l'esprit errant des faucons

Le mensonge de ton tricot
Ou l'éternel va-et-vient des reproches

Être la fougère sur la poitrine du mal
Ou le cœur d'une lanterne
À la fin du rythme

Voilà
Tu t'en vas vers l'instant du doute
Je ne te verrai plus

Être un vigneron en Val-de-Loire
Pour te regarder
Ou la gondole du rire
Partant vers l'obscurité

TA VISITE

Je sais que ta visite est éphémère
Et que le vol des corbeaux précède la tempête de neige
Quelque part au fond de la forêt
L'intervention divine sera neutralisée par la foudre

Promise est la chute des feuilles sur mes cheveux
Promise est la destruction des molécules dans la clairière

Je sais que ta visite annonce l'ennui des églantines
Et des années sans adjectif

SCÉNARIOS

Je t'ai retrouvé
À l'heure de la marée basse
Au seuil de l'attente
Oiseau des lunes frugales
Maître des côtes et des pyramides

Je t'ai embrassé
À l'ombre du pin
La neige tombait dans la forêt des solitaires

Tu m'as dit que mon pays s'est noyé très tôt
Et que nos corps fragmentés adorent les soleils-équerres

Ce jour-ci
Il y avait une palme et une rivière noire
Je ne savais pas où mourir
Et mon âme avait mangé toutes les guerres
Et tous les scénarios de la mort

Tu voulais serrer ma dernière silhouette
Mais il était encore très tôt
Nos corps n'avaient pas mûri ensemble…

J'étais l'Orient
Et toi la tentation du ciel
Au pied des phares

J'étais la motivation du froid
Tu étais la peine des étés chauds
Le froid continental de la plage

UNE HISTOIRE AVANT DE DORMIR

L'esprit de l'éclair m'a dit
Que les lilas remontent chaque soir
La pente du purgatoire

Ils renaissent sous forme de serpent
D'arc-en-ciel, d'antilope, d'étoile filante
Et de fissure aquatique

Vers minuit
Ils balaient les intrigues devant la porte des dieux
Et s'effondrent avec le premier chant mélancolique

L'HISTOIRE INCOMPLÈTE

Rien n'a été écrit
Après le retard de mon pays
Sur un lit assassin
L'imprévu s'éteint

Rien n'a été écrit
Après la liberté de notre mensonge
Le narrateur s'est endormi
Un dimanche ensoleillé

Rien n'a été écrit
Après l'agonie de ma ville
La guerre est toujours insuffisante
Nos paroles regardent toujours ailleurs

CLIVAGES

Par temps ensoleillés
Par temps pluvieux
Je mesure l'absurdité des nuages
Avec un baromètre marié aux fissures de la terre

Je situe les clivages de l'âme
Avant de sombrer dans une eau aux tiges violettes

Je connais la lune et ses sautes d'humeur
Le soleil et sa géographie morbide
Je sais que la déprime possède les déserts du Levant
Et que le vent se nourrit de psychoses humaines

BEYROUTH ET LE VIDE

Sur tes genoux inflexibles
Je flaire le danger

Terre reconquise
Le vin dévore mes doigts
Et les murs racontent toutes mes faiblesses

Il ne reste que les cordes et les balustrades
Le joyeux Moulin-Rouge
Et Beyrouth qui danse dans le noir

LE MARIAGE

Le jour du mariage
Tu m'as offert des tulipes perses
Et des lilas qui datent d'un avril égyptien

Quand la roue de fortune tourne
Le pont réalise qu'il est encore tôt pour s'effondrer
Nous continuons notre chemin
Heureux et fatigués
Le bouquet savoure déjà le glas des premières lueurs

LE BOIS ROSE

Je ne vais plus courir à travers les cieux chauds
La lumière n'attend que le passager en retard

Je ne vais plus courir après la pause des vignobles
Le train disparaît toujours dans le bois rose
Là où ma patrie ne peut pas étendre ses membres...

HISTOIRE D'AMOUR DANS LE FROID

Ce soir
Il fait froid
On renonce à la magie
On glisse dans le lit
Les rideaux sont tirés
L'obscurité est modeste
Les baisers sont interminables
Sans pain sans vin sans train

REPROCHES

La ville me reproche
L'étincelle de l'absence
Après le départ des corps en cire

La ville me reproche
Cette histoire d'amour
Avec les branchages cassés
Et l'arbre rouge

La ville me reproche
L'étreinte avec les flots glacés
Ce baiser courtois avec les malentendus

LA SOUFFRANCE

Dans le quartier opposé au jour
La souffrance a des limites joyeuses

J'ai inscrit mon nom
J'ai lavé ma silhouette

J'ai lavé tout ce qui reste
Lorsque je m'en vais

ABSENCE

J'atterris dans l'irremplaçable
Mes yeux veulent remplacer tes yeux
Mon corps veut remplacer ton corps

Je cherche ta douleur
Mode d'absence second
État libre de la matière
Mes lèvres veulent remplacer tes lèvres

POINT MORT

C'est l'automne dépouillé
Et l'Est ramasse ses membres
C'est l'automne en guerre
Et l'Est pleure après la fête

C'est le printemps de Prague
Ou la révolution de velours
C'est le jour de l'Ascension
Ou le Mercredi des trahisons

Les visiteurs ont ramassé les brindilles du vin
Et les villes ne reconnaissent plus leurs frontières

Attention
Les chevaliers pillards
Pourront dévaster le temps

LA VANITÉ

Je redescends vers l'abîme
Mes doigts touchent le sommeil
Je recule
Les âges s'anéantissent

Ici ou là-bas
La vanité est une lutte contre l'étoile

Qui a le pouvoir d'ensorceler les places désertes et de figer les mers
arides ? Qui a le pouvoir de transformer l'eau en étoiles filantes
et les maisons en fleurs liquides ?

LE TRAIN-TRAIN DE L'IMMORTALITÉ

Le Moyen-Orient porte ton cœur
Et les effluves du matin ne connaissent que ta peau
Tu es mon amour
Presque tous les jours

Pourtant tu es aussi le péché originel
Qui m'a condamnée à vivre sur terre
L'esprit des lieux que j'ai habités et qui m'ont abandonnée
Le serpent à plumage de feu
Et la dernière planète glaciale au creux de l'angoisse

Combien de fois dois-je rebrousser chemin
Pour retrouver ton ombre?
Combien de fois dois-je regagner la maison des obsessions
Pour être digne de ton amour?

Je voudrais dormir dans le panorama de ta noirceur
Mêler mes joues endolories aux turbulences de ton être

Tes lèvres sur mes seins
Alourdies par l'humidité
La pluie équatoriale sur ma peau
J'aimerais prostituer mes peines
Polir ma démence pour te plaire

Pourtant
Tu attends avec désespoir le lendemain
Pour rejoindre le train-train de l'immortalité

JOUMANA HADDAD

JOUMANA HADDAD est née en 1970 à Beyrouth. La découverte des poètes surréalistes l'incite à se tourner très tôt vers la poésie. Elle écrit ses premiers poèmes en français avant de revenir à l'arabe. Elle parle sept langues et en traduit plusieurs. Elle a publié notamment une anthologie de la poésie libanaise moderne en espagnol. Journaliste, elle est responsable des pages culturelles du quotidien libanais *an-Nahar*, et l'administratrice du prix littéraire arabe Booker (Ipaf). Elle a publié au Liban plusieurs recueils de poésie, dont *Invitation à un dîner secret, Le retour de Lilith, Miroirs des passantes dans les songes*, et des nouvelles. Ses textes sont empreints de sensualité et très «tactiles». La plupart de ses livres ont été traduits.

DU MÊME AUTEUR EN FRANÇAIS
Le retour de Lilith, traduit par Antoine Jockey, Éditions
L'Inventaire, 2007

MIROIRS DES PASSANTES DANS LES SONGES (EXTRAITS)

« Seigneur, donne à chacun sa propre mort,
Sa mort enfantée de sa vie même…
Nous ne sommes que la feuille, que l'écorce,
Alors que le fruit autour duquel tout gravite,
C'est la grande mort que chacun de nous porte en soi. »

Rainer Maria Rilke

LE MIROIR D'ALFONSINA [1]

« Un jour je serai morte, blanche comme la neige,
Douce comme les songes dans un après-midi pluvieux. »

Il y a tant de nuages en moi, tant de nuages que seule l'eau peut dissimuler. Je tourne mon dos à la pluie qui ne suffit plus, et je marche vers la mer. Son seuil est couvert d'algues, son cadenas est rouillé, et son propre sel lui suffit. Je suis sa vagabonde, j'erre sur son asphalte liquide et dors dans ses recoins d'encre. Je suis sa troupe de nuages, sa mousse, sa peau chaude comme une volupté qui arrive. Barque que pétrit une tempête, éclair qui m'emmène vers le début qui me ressuscite et me multiplie.

D'eau est ma bouche, d'eau mon regard, d'eau la pointe de mes seins. La mer parle et je me souviens. La mer parle et je suis la preuve de la mer. Ne pourrais-je pas dormir là, les yeux grands ouverts comme un poisson qui fantasme ? Ouverts, mes yeux, pour que leur obscurité s'éteigne. Et puis

---

1. Alfonsina Storni, poétesse argentine née en 1892, s'est suicidée par noyade en 1938.

dormir, je voudrais, en me traçant d'autres noms avec l'écume foncée et ardente du remords.

Je descends, descends, et le fond n'existe presque plus. Je tourne sur moi-même et les étoiles paraissent. La coquille s'ouvre et le monde est dans la coquille ; le monde à nu, trou sans couvercle, poussière humide sans griffes.

Le sexe du sable est fluide. Il frétille contre mon corps et brille dans le noir inquiet. Son sperme sur ma langue a un goût de bleu. J'avale ma salive, et je regarde en arrière toute cette mer qui augmente en moi, par moi... Déluge sanglant où je perdure, aquarium qui m'habite. D'eau est ma bouche, d'eau ma cuisse brune, d'eau la paume de mes mains, mais je ne suis pas destinée à être mouillée, ni digne d'être remplie : si seulement je pouvais cesser de saigner un moment, un tout petit moment, pour égarer le quai (...).

LE MIROIR D'INGEBORG [1]

« Quoi qu'il advienne, le monde dévasté
Revient s'enfoncer dans le crépuscule. »

Je suis cassée, mais cela ne se voit pas. Le tic-tac continue pour que l'apparence soit sauvée. Rien qui puisse être dit, rien qui puisse être fait. L'absence du temps aide l'horloge à tricher, l'absence de vie rend la mort plus facile. Mais je suis en retard quand même. Et je n'ai jamais été innocente.

Je regarde, incrédule, au-delà des flammes, puis je soupire : « Enfin ! » Cela fait des années que je cherche mon cercueil et que mon cercueil me cherche. Sept pages nous séparaient, sept puits. Plus maintenant : nous voilà, debout l'un dans l'autre, unis dans la nausée. Le même feu nous voit, le même bois nous commence. Tyran complice, ni patrie ni exil, il est dorénavant dans chaque vice, dans chaque frisson. Nous sommes tous les deux surpeuplés de pierres et de passants.

---

1. Ingeborg Bachmann, poétesse autrichienne née en 1926, s'est suicidée par le feu en 1973.

«Voici ton aventure», me dit-il chaque soir. Et je voyage vers lui à travers mes cendres.

Je n'ai jamais su comment mes lettres allaient finir, et mes masques ont toujours manqué de cohérence. Pourtant je n'ai pas cessé de faire mes adieux. Tant de pas qui se sont éloignés, tant de souffles qui se sont gelés. Mais les feuilles que l'arbre a perdues retourneront à l'arbre.

Maintenant la neige tombe sur la morgue ; elle est noire et enflée comme mon visage. Mon visage tombe sur la neige, à la hâte, sans mot dire ; je peux compter ses cris étouffés. Mais ne vous inquiétez pas, mes amis : le tic-tac continuera, et vous ne verrez point que je suis cassée. Le monde abandonnera mes épaules. Pour la première fois je mesurerai le poids de mon chagrin, pour la première fois je découvrirai la force de mon dos : le cauchemar fleurira, mon cœur s'arrêtera, et doucement, doucement, je respirerai (…).

LE MIROIR DE MARINA [1]

« Il en tomba combien dans cet abîme béant
Dans le lointain ? »

Je contemple mon cadavre allongé, livide, et je me trouve belle. Belle comme une légende blessée. Belle comme seule une autre femme peut être belle.

Je contemple mon cadavre et mon cadavre est un fil de fer. Je le touche puis le lance au loin telle une ligne de pêche. Je suis son funambule, son otage unique. Il vibre et menace de me renverser. Je m'accroche à lui, je le maudis. Il est ma peur et mon évasion. Puis soudain il devient échelle, ride, chute où je ne cesse de dire adieu à toutes les montagnes qui partent sans moi.

Mon cadavre est un fil de fer : ni long, ni souple, ni surtout patient. Il n'est pas accablé de sentiments, ni de vertus, ni même de pensées confuses. On ne lui parle pas, on ne lui raconte rien, on ne l'embrasse jamais sur la bouche. Il n'y a

---

1. Marina Tsvetaïeva, poétesse russe née en 1892, s'est pendue en 1941.

pas de métaphores, ni d'échos perdus, ni de vieux rêves qui
s'assoient à l'ombre.

On dansera à mon enterrement, c'est certain. Il y aura un
mot pour chaque bouche, une haine neuve pour chaque
crâne fendu. On dansera à mon enterrement et l'herbe sera
lourde sous les pas. Impitoyable, la colline qu'on devra
monter (ou descendre), comme le ventre d'une mère qui a
déjà tout donné. Ce fil de fer sur lequel je marche sans
bouger est mon cadavre : inutile de le mettre dans une caisse
en bois. Étendez sur lui du linge, et invitez les oiseaux à s'y
poser. Ne lui chantez pas des psaumes, et puis ne plantez
surtout pas de fleurs autour de lui. Mettez-vous plutôt à
genoux et demandez pardon au feuillage qui vous a ombragé,
aux vêtements qui vous ont couvert, au ciel qui a supporté
vos ordures humaines.

Je n'attends rien de vous : mon cadavre me sourit, mon
cou est presque transparent, et je suis en route vers l'oubli.
Oui, je suis belle, et seuls mes ongles sales me trahissent.
Allez, dansez maintenant! (...)

LE MIROIR DE REETIKA[1]

« Vous m'étendrez dans un cercueil en bois blanc
Et le couvrirez d'un million de fleurs. »

Les veines du poignet sont très saillantes. Saillantes comme un appel insolent, comme un pardon accordé d'avance. Je les remarque en enlevant un à un mes trois bracelets, et je les caresse tendrement.

J'éteins toutes les lumières de la maison, et je range mon sari de la soirée d'hier, comme une vivante. COMME-UNE-VIVANTE. L'armoire est trop pleine, il faudra y mettre de l'ordre, mais pas tout de suite : le temps presse. J'entre dans la cuisine, j'essuie les miettes du dîner sur la table, et je resserre le robinet. Je frotte la vieille casserole un peu, puis je change l'eau du vase ; quelques pétales tombent : ah ! mes sœurs aînées…

Un enfant rit au loin, un enfant rit tout près. J'ouvre le deuxième tiroir sous l'évier et en tire un couteau tout neuf.

---

1. Reetika Vazirani, poétesse indienne née en 1963, s'est tranché les veines en 2003, après avoir égorgé son bébé de seize mois.

Qu'il est beau ! C'est un sexe d'homme tapissé de désir, un pont tendu entre l'univers et moi, un fruit merveilleux qui vivra de mon corps. Œil qui me donnera à boire puis me happera dans son tourbillon. Tunnel pluvieux d'où je ne voudrai plus jamais sortir…

Je le pose tout d'abord sur mon front. Il est une main. La main glacée de l'homme que j'aime. Flèche, arc et gibier à la fois. Il me caresse, veut me posséder vite. Mais je ne lui appartiens pas et il le sait. Il me rend à moi et me porte sans m'avoir.

La mort est presque la vie, je pense et je souris.

Je ne suis qu'une faible rumeur qui se répète, je pense sans sourire.

Et la lame blanche brille dans mon regard blanc. Rose. Rouge.

Femmes, vous avez raison de me haïr : ma cicatrice est le plus beau des tatouages, mon flanc a la rondeur d'une nouvelle lune, et je ne vieillirai sûrement pas (…).

LE MIROIR DE DANIELLE [1]

« Les corps liés, emmêlés dans l'amour
Refluent vers les plages de l'absence. »

Il y a longtemps que la dernière nuit est venue. Elle
chante : les morts n'arrêtent pas de vivre, tout comme les
vivants n'arrêtent pas de mourir. Ainsi me disait ma grand-
mère aussi. Entre l'amour léger et l'amour violent, j'attends
donc la soif. Le fond du verre.

Je redresse ma tête, ma splendide tête de morte, et je
cherche le chemin par lequel je reviendrai, je cherche la
pierre inhabitée qui comprendra mon absence. La dernière
nuit est tombée et il fait toujours noir autour de moi. La lune
brille de son effacement, le mur double le mur. Le paysage
est un caillou pointu sous la plante des pieds, et il n'y a pas
d'autre rive.

Quelqu'un dort en moi et je le réveille. Quelqu'un dort en

---

1. Danielle Collobert, poétesse française née en 1940, s'est empoisonnée
en 1978.

moi et il est ce que je n'ai pas été : la vie meilleure possible que je n'ai pas su vivre.

Je sais maintenant où finit le ciel. Où finit le ciel commence le visage. Le nuage conduit au nuage, et c'est par le miroir qu'on rentre dans nos ombres. Dans nos poèmes. Mes pieds ne sont plus hésitants en quittant cette chose fatiguée qui est la vie.

Tes yeux peuvent seulement être tes yeux, ton silence peut seulement être ton silence, et cette nouvelle page que je tourne n'est pas pour toi. Ma mort sera un laps de temps. Une attente qui se prolongera à l'infini. Troublantes minutes qui s'accumuleront entre deux débuts. Moment inattendu qui fera tomber les murs. Tes murs.

J'ouvre la porte de ma cave et c'est une autre qui entre. Je ne suis pas parmi vous. Je ne suis pas sous ces ongles qui me posent des questions, dans cette douleur obstinée à chaque ligne, entre ces cils fermés sur mes cris. Je ne suis pas parmi vous et il est grand temps pour moi de partir. De naître.

J'appelle la soif, je tends ma langue, ma petite langue rose, et je sais que le vide amer qui l'écorche sera mien (…).

Traduit par l'auteur

IMANE HUMAYDANE-YOUNES

IMANE HUMAYDANE-YOUNES est née en 1956 à Ayn
Enoub, village de la montagne druze. Issue d'une famille
laïque, elle fréquente une école tenue par des missionnaires
anglaises qui reçoit des enfants de toutes les communautés.
Pendant la guerre, elle assiste aux affrontements intercom-
munautaires qui vont vider la montagne druze d'une partie
de ses habitants. Après des études d'anthropologie à l'Université américaine de Beyrouth, elle mène durant des années une
étude sociologique sur les familles des disparus de la guerre,
qu'on estime à dix-sept mille et dont le cas est loin d'être
résolu. En 1997, pour expurger toute la violence que la guerre
a léguée à son corps et à sa mémoire, elle publie *Bâ' mithla
bayt mithla Bayrut* aux Éditions al-Massar, récit polypho-
nique sur les femmes piégées par la guerre. Ce premier roman

reçoit un excellent accueil critique tant au Liban que dans le monde arabe, où l'on considère qu'il marque une nette rupture par rapport aux représentations traditionnelles des personnages féminins. Traduit en français sous le titre *Ville à vif*, le livre paraît en 2004 aux Éditions Verticales. Imane Humaydane-Younes poursuit son travail de mémoire en explorant l'univers de la culture druze au début du xx⁰ siècle dans son second roman, *Mûriers sauvages*. Elle est aussi nouvelliste et collabore à plusieurs journaux et magazines libanais et arabes. Ses deux premiers romans sont traduits en allemand et en anglais.

DU MÊME AUTEUR EN FRANÇAIS
Mûriers sauvages, traduit par Valérie Creusot, Éditions Verticales, 2007
Ville à vif, traduit par Valérie Creusot, Verticales, 2004

D'AUTRES VIES

« Quand reviendras-tu ? » m'a-t-il demandé sur le chemin de l'aéroport. Je ne lui avais pas dit que je reviendrais, ni que je m'en allais, d'ailleurs. Je lui avais simplement dit que le Liban me manquait. Je n'avais pas la nostalgie d'un endroit en particulier mais la nostalgie de cette part de moi-même que, jour après jour, je perdais dans l'absence, la nostalgie de toutes ces images que j'avais longtemps gardées en mémoire. À présent, c'était comme s'il n'en restait plus aucune trace. J'avais vécu plus de quinze ans à l'étranger et mon retour au Liban, je le savais, loin de me rendre ce passé défunt, ne ferait qu'en accuser la perte : ce qui m'avait manqué n'était que pure imagination, j'en aurais la certitude, et cela, je ne pourrais le communiquer à personne, pas même à lui.

J'ai laissé Chris derrière moi. J'avais également laissé, telle quelle, sa lettre sur ma table de chevet. Je ne l'avais pas ouverte, sachant d'avance ce qu'elle contenait : des dollars, dont je ne voulais pas, et un mot en forme d'interrogation concernant la date de mon retour à Mombassa. Depuis notre mariage, jamais nos mains ne se touchaient quand il me donnait de l'argent : il le glissait systématiquement dans une enveloppe. Je me suis souvent demandé pourquoi mais jamais je ne lui ai posé la question.

Pourquoi retournais-je à Beyrouth ? Était-ce vraiment la lettre d'Olga qui me ramenait là-bas ? Ne venais-je pas plutôt dans l'espoir de retrouver la trace de Georges ? (Georges, l'ami qui, disparu pendant la guerre, n'avait jamais atteint l'Australie et que j'avais d'abord cru mort, déchiqueté sous les bombes.) Ou bien peut-être revenais-je, hantée du désir de revoir les lieux où j'avais vécu autrefois, comme pour m'assurer qu'ils étaient restés intacts. Autant de questions qui à présent surgissaient en moi.

La veille de mon départ de Mombassa, j'avais téléphoné à Chris au laboratoire. «Il est occupé», m'avait répondu son assistant avant de raccrocher le combiné. Quelques minutes plus tard, Chris m'avait rappelée, enthousiaste : il était parvenu à des conclusions stupéfiantes quant aux investigations qu'il menait depuis deux ans. Lorsqu'il rentrait à la maison, je savais d'emblée comment s'était passée sa journée. À son regard, à son attitude, je le devinais. Marchait-il les épaules droites, l'œil rayonnant ? C'était signe qu'il avait fait quelque découverte. Il était heureux ce soir-là, mais son bonheur ne me dissuada pas de partir et n'entama en rien mon désir impatient de boucler mes valises et d'aller les déposer devant la porte. L'avion partait le lendemain matin à huit heures, autrement dit, je devais être à l'aéroport à six heures, donc me réveiller à quatre heures et demie. Il était minuit passé et j'étais encore debout. «Je n'aurai aucun regret», pensais-je en visitant une à une les pièces de cette maison que j'avais habitée quelque treize années. Je ne l'avais jamais quittée, sinon l'été, quand j'allais à Sydney, ou le temps d'une escapade dans le sud de l'Afrique. « Non, ils ne me manqueront pas, ces tableaux choisis selon son goût, ni ce jardin austère, taillé et agencé à la manière des parcs entourant les tombeaux des princes. » Et pourtant je sentais monter en moi des sanglots brûlants que j'avais peine à retenir.

À l'escale de Dubaï, j'ai passé le temps dans un bar, au premier étage de l'aéroport. Je l'avais choisi à cause de la taille de ses sièges, des banquettes si amples que le voyageur en transit ne pouvait qu'être tenté de s'y allonger et de dormir. À côté de moi, un homme, la cinquantaine, feuilletait un quotidien de langue anglaise. Au bout d'un moment, levant les yeux de son journal, il s'est adressé à moi : « *Are you going to Beirut ?* » J'ai fait oui de la tête, l'air un peu intriguée. « Je suis un magicien, je sais l'art de deviner les secrets », m'a-t-il dit avec un sourire, comme s'il cherchait à me séduire. Puis il a éclaté de rire, désignant du regard mon passeport, négligemment posé sur la table, duquel dépassait un billet de la Middle East. « Je me présente, Nour », a-t-il ajouté en me tendant la main. J'étais loin de penser à un nom arabe ; ses traits, ses cheveux, et même la couleur de ses yeux, suggéraient qu'il était étranger. En fait, il était libanais, lui aussi, mais il ne parlait pas la langue. Il se rendait à Beyrouth pour la première fois depuis quarante ans. Il était encore tout gamin quand ses parents avaient émigré aux États-Unis. Maintenant qu'ils étaient morts, il voulait refaire connaissance avec sa terre natale. Il s'est alors mis à me parler de son village oublié, de la maison de son grand-père, dont il ne savait si elle était encore habitée. Il allait au Liban «à la recherche de ses racines». Et il a appuyé sur le mot «racines», en anglais, naturellement. J'ai failli m'esclaffer mais j'ai réussi à me contenir : «Des racines ? Je peux t'en donner autant que tu veux ! Moi, j'en ai trop, je ne souhaite qu'une chose : m'en débarrasser ! » Il ne s'attendait sans doute pas à cette réponse. D'ailleurs moi non plus, je ne me serais pas crue capable de dire une chose pareille. À partir de cette brève conversation, s'est ébauchée une sorte de complicité entre nous. Une complicité fugace, née de quelques phrases échangées et de ces rires légers qui nous avaient vaguement émoustillés.

Il y avait cinq heures d'attente avant le départ de l'avion à destination de Beyrouth. L'aéroport de Dubaï ? Un univers saturé de lumières artificielles qui jamais ne ferme l'œil. Je l'imaginais s'étiolant jusqu'à mourir dès l'instant où il n'y aurait plus personne, comme s'il n'avait d'existence que fictive. Philippins, Indiens, Sri-Lankais, Européens, Américains… Des gens de la Terre entière parcouraient les étages et les couloirs du bâtiment, qui lui donnaient vie et éclat. Pourtant le vide le dévorait de l'intérieur, ainsi que le sable du désert ronge les immeubles au point de les réduire à des carcasses qui vieillissent en un éclair.

J'avais le front collé au hublot de l'appareil. Quant à Nour, qui avait choisi un siège à côté de moi, il était plongé dans un livre, tiré de sa sacoche. J'ai probablement fini par m'endormir. J'avais chaud, j'étais aux anges. Et lorsque j'ai découvert le plaid de laine bleue dont il m'avait enveloppée pendant mon sommeil, un sentiment de plénitude m'a submergée.

Je revenais dans l'idée de retrouver un lieu que je pensais avoir perdu. J'écoutais Nour qui maintenant évoquait le village natal de son père et puis des histoires que celui-ci lui avait racontées sur sa famille. Pourquoi venait-il à Beyrouth ? Se cherchait-il un endroit où aller en ce monde ?

« Moi, je voudrais tout laisser derrière moi, ai-je lâché. — Alors, tu n'appartiens à nulle part…, m'a-t-il rétorqué… Si tu n'es ni du Liban ni d'aucun des pays dans lesquels tu as grandi, dis-moi donc à quelle terre tu appartiens ? » a-t-il continué, sans attendre de moi une quelconque réponse, simplement pour prouver qu'il avait raison.

J'ignorais que cette rencontre avec Nour allait modifier tous mes plans.

Si moi je venais au Liban, c'était pour vendre la maison que m'avaient léguée mes parents, après quoi je retournerais au Kenya. Maintenant que les « déplacés » qui la squattaient avaient vidé les lieux, j'avais la possibilité de m'en défaire. Je n'en avais hérité que parce que mon frère avait été tué. Normalement, elle aurait dû lui revenir à lui, l'unique garçon de la famille, tout comme mon père en avait hérité de mon grand-père. Mon frère est mort, déchiqueté à l'instant même où il s'apprêtait à franchir le pas de la porte. Il ne nous a pas été permis de reconnaître le corps, on nous l'a livré dans un cercueil. « Votre fils est dedans », s'est-on contenté de dire à mes parents. Quelques jours après l'enterrement, les jeunes du quartier ont retrouvé des lambeaux de sa chair noircie accrochés aux branches des arbres calcinés sous l'effet de l'explosion. Quant à mon père, il a été touché à la tête, mais il s'en est sorti. Sous le choc, ma mère, elle, a perdu la parole. Incapable de prononcer désormais le moindre mot, elle s'est mise à communiquer en agitant les doigts, semblant tracer des cercles dans le vide.

C'est ainsi que nous avons quitté le Liban pour l'Australie où, dès avant la guerre, s'était installé mon oncle maternel. Nous sommes partis, famille amputée d'un de ses membres, composée d'un père au bord de la folie, d'une mère muette et d'une fille à présent séparée de celui qu'elle aimait. Il lui avait promis de la rejoindre là-bas pour l'épouser. Seulement elle ne devait plus jamais le revoir.

Je vendrais la maison, et puis je rentrerais à Mombassa. J'avais passé plus de treize ans à naviguer entre l'Australie et le Kenya ; treize ans, c'était pratiquement l'âge de mon mariage avec Chris qui, deux ans plus tard, avait quitté Sydney pour travailler dans un institut de recherches de Mombassa à la mise au point d'un vaccin contre la malaria, qui tue la plupart de ses victimes dans cet immense pays pauvre.

Je n'aurais jamais imaginé que ce retour à Beyrouth produirait sur moi un tel effet. Quand j'étais au Kenya, la nuit, je rêvais sans arrêt que j'étais au Liban, dans la maison que j'avais dû quitter. Régulièrement, je me réveillais en sursaut, mais très vite je me rendormais, bercée par la rumeur des vagues de l'océan Indien, à quelques pas de chez moi. Tous les matins, au sortir du sommeil, je repensais à mon rêve de la veille. Chaque fois que je faisais à ma voisine autrichienne le récit de ce rêve obsédant, elle me rassurait : « Le ciel du Kenya est vaste, des rêves innombrables peuvent s'y évaporer. »

Au Kenya, je n'avais cessé de vivre mes rêves comme une part indissociable de mon existence. Ils m'accompagnaient tout le jour, gravés dans ma mémoire. Le matin de mon départ pour Beyrouth, Chris s'était approché de moi et m'avait dit son envie de faire l'amour. J'avais détourné la tête, et, regard fixé sur ma valise, je m'étais mise à lui raconter ce dont j'avais rêvé la nuit d'avant : j'étais un arbre immense, chargé de fruits, qui se dressait dans le ciel, un arbre épris du vent. Lui, dans mon rêve, se trouvait trop loin de moi pour pouvoir me toucher et j'éprouvais une étrange ivresse, comme si c'était le vent qui m'avait étreinte. Dans le petit aéroport déprimant de Nairobi, nous avions bu un dernier café ensemble en attendant le décollage de l'avion. « Tu reviendras ? » Ne sachant que répondre, j'avais préféré garder le silence. « Je suis hantée du désir de vivre, avais-je songé, et lui, il s'acharne à le mettre en pièces. En homme de science zélé et méthodique, il maintient une distance soigneusement calculée vis-à-vis de la vie pour tout mettre en pièces. »

Pourquoi repensé-je à lui, tout à coup ? À lui, à ses petites manies quotidiennes pour lesquelles je n'ai jamais éprouvé la moindre complicité, peut-être parce que je suis une femme sans habitudes. Serait-ce la raison pour laquelle les années passées avec lui au Kenya sont restées pour ainsi dire en dehors de moi, comme si je ne les avais pas vécues ? Lui s'organise de façon draconienne, son existence est tout entière réglée sur le tic-tac de sa montre, il regarde sa vie comme un ensemble de rites intangibles. Alors que moi…
Au petit déjeuner, je bois du café. Non, en fait, je bois du thé. Je fume, non, enfin si, il m'arrive d'allumer une cigarette. J'aime le sport, j'en fais. Mais pas souvent. En tout cas,

je préférais être seule. Seule avec les romans qu'Olga m'envoyait fidèlement depuis quinze ans.

La seule «habitude» qui soit restée ancrée en moi, c'est probablement ce sentiment permanent d'être en transit quel que soit l'endroit où je réside. À Mombassa, je posais mon sac à main sur la table de l'entrée comme si j'allais aussitôt repartir ou bien comme si je rendais une brève visite à des étrangers. «Myriam, c'est *ta* maison… C'est *ta* maison et tu en es la maîtresse. Pourquoi ne ranges-tu pas tes affaires? Pourquoi les laisses-tu traîner pêle-mêle dans des sacs?» me répétait Chris, excédé à la vue du désordre qui régnait depuis des jours et des jours dans le vestibule, près de la porte d'entrée. Et mon répertoire, et ma besace dans laquelle je fourrais les romans qui me parvenaient du Liban… Tantôt je la prenais avec moi dans la voiture, tantôt je l'abandonnais dans le jardin devant la maison, où j'aimais à m'asseoir. Loin de dissiper mon malaise, ces remarques me rendaient toujours plus étrangère à Chris. Cette habitude de me tenir sans cesse sur le qui-vive, prête à partir, je l'avais emportée avec moi du Beyrouth de la guerre, j'en étais parfaitement consciente. Associée au souvenir des abris, de la recherche continuelle d'un endroit plus sûr, elle s'était gravée en moi et ne m'avait pas quittée un seul instant durant ces treize années d'allées et venues entre Sydney et Mombassa. Seul Samuel, le jardinier kenyan, me redonnait un semblant de quiétude. «On peut vivre plusieurs vies sans même bouger», affirmait-il, et ses paroles me rassuraient. Lorsque je me tenais dans le jardin, il venait me trouver et commençait à feuilleter les livres entassés dans la besace jetée sur l'herbe, au pied de mon fauteuil. Puis, levant son regard vers moi, il me disait : «Toi, tu vis à la fois au-dedans et au-dehors.» Je ne comprenais pas vraiment ce qu'il entendait par là mais ce n'était probablement pas sans rapport avec la réflexion qu'il avait eue, le jour où il m'avait raconté l'histoire de son arrière-grand-père, qui, pratiquement nu, avait quitté la brousse pour venir s'installer à Mombassa avec femme et enfants. «Toi, tu comprends tout, je le sens. On dirait que toi aussi tu l'as vécue, cette vie lointaine, et que tu as connu une expérience semblable.»

J'ai fini par passer davantage de temps avec Samuel qu'avec Chris qui, lui, était subjugué par l'observation au microscope de ces petits insectes méticuleusement disposés sur des lames de verre. À l'en croire, ces bestioles étaient douées d'une vie à part entière et d'une logique suffisante pour anéantir l'humanité si elles proliféraient jusqu'à envahir la Terre.

Au Kenya, je vivais chaque jour comme si le prochain n'existait pas, sans que ma foi profonde en l'avenir en soit jamais ébranlée : le futur était là, devant moi, qui m'attendait, prêt à resurgir du passé. Inlassablement, je m'occupais l'esprit en m'abreuvant des lectures que je recevais du Liban : derniers romans parus, recueils de poésie, magazines, journaux, études sur la guerre, sur la période d'avant, sur les accords de Camp David, sur l'intervention israélienne de 82, sur le simulacre de paix instauré dans le pays… Je ne bougeais guère de Mombassa, ville ouverte sur l'océan Indien. Il m'arrivait de prendre l'avion à destination de Nairobi, la capitale, dans l'unique but de réceptionner les colis que m'envoyait Olga. Les premiers temps, j'attendais qu'ils soient déposés à Mombassa. Seulement ils n'arrivaient jamais entiers ; entre l'aéroport de Nairobi et celui de

Mombassa, ils étaient délestés, notamment des bouteilles de whisky et des mélanges de graines pour l'apéritif.

Tant de souvenirs qui me reviennent à présent… J'entends encore la question que m'a posée Olga lorsque, dès mon retour, je suis allée rendre visite à ma grand-mère dans la montagne. Ce jour-là, Olga s'est précipitée pour m'embrasser. «Alors, quoi de neuf? Tu as trouvé ton bonheur? À moins qu'il ne soit désormais derrière toi… Tu l'espères encore ou bien tu le vis déjà?» m'a-t-elle demandé avec une tendresse qui m'avait longtemps manqué.

Les arbres meurent au Kenya…

Non, en réalité les hommes y meurent bien plus tôt, la durée de vie moyenne ne dépasse pas quarante ans. C'est dire combien j'ai éprouvé la nécessité de m'acclimater à ce pays et de me débarrasser de ce sentiment poisseux d'y être une simple touriste.

Le bonheur? Arrêté, exactement comme au feu rouge. Qu'il est lent à venir et prompt à repartir… Les nouvelles de la guerre me parvenaient du Liban, tel mon lot quotidien. Alors que faire? Lancer toutes les imprécations de la Terre à la face des saints et des anges. Juste pour se calmer… Trouver un peu de repos… Vivre le présent dans sa pureté, son plaisir nu. Nietzsche était dans le vrai quand il soutenait que le péché originel condamne l'homme au ressentiment, que les dieux sont une invention mortifère… Comment croire en un dieu qui ne danse pas?

À l'arrivée à Beyrouth, j'ai volontiers accepté la proposition de Nour de partager un taxi pour gagner le centre-ville.

Mais là, je ne suis pas allée jusqu'à l'immeuble de Zoqaq al-Blat où nous demeurions avant d'émigrer en Australie. Si j'étais revenue au Liban, c'était précisément pour le récupérer, et puis le vendre. J'avais en effet reçu une lettre d'Olga m'informant que le ministère des Personnes déplacées offrait des indemnités de relogement aux familles qui, contraintes à l'exode, avaient squatté des habitations durant la guerre. Le taxi est passé dans le quartier mais je n'ai pas éprouvé le besoin de m'approcher davantage : je ne ressentais pas de nostalgie pour l'endroit en soi, mais pour le lien intime qui m'unissait à lui, autrefois. Ce qui me manquait, c'était cette «épaisseur» du lien, désormais disparue. Au lieu de m'arrêter à la maison – un bâtiment de deux étages, toujours occupé au premier –, j'ai demandé au chauffeur de me conduire chez ma grand-mère, dans la montagne.

Sur la route qui mène au village, nulle monotonie dans ce paysage de pierres et de reliefs escarpés. On n'y voit généralement qu'une terre nue, mais en réalité elle donne naissance à une polychromie de roches aux lignes variées. Des roches fécondes desquelles sortent des arbustes vigoureux au feuillage verdoyant tout au long de l'année.

Quand j'ai franchi la porte, ma grand-mère ne m'a pas reconnue. Elle m'a accueillie avec froideur et s'est aussitôt couvert la tête avec son drap avant de le ramener sur ses lèvres.

«Qui est-ce ? a-t-elle demandé à Olga dans un murmure à peine audible.

— Mais c'est Myriam !» lui a répondu Olga, qui m'avait connue tout enfant. Et d'ajouter en me serrant dans ses bras : «Tu ne t'en souviens pas ? C'est Myriam, ta petite-fille, la fille de Karim !»

Je savais pertinemment n'être plus tout à fait la même depuis la dernière fois que ma grand-mère m'avait vue : je me suis teint les cheveux en prune, j'ai grossi de huit kilos et vieilli de quinze ans, et puis j'ai pris l'habitude de me maquiller avant de sortir de chez moi. Mais je n'avais pas tellement changé, et tout un chacun me reconnaîtrait. Du moins je le croyais. Je me trompais. Mon apparence trahissait-elle la vérité ? Trahissait-elle que je n'avais pas subi ce qu'avaient subi les autres en raison de cette longue absence ? Était-ce parce que je ne partageais pas leurs souvenirs que je donnais l'impression d'être à ce point étrangère ? La violence accumulée au long de ces quinze années m'avait-elle à ce point éloignée de ceux qui m'étaient chers ?

Je savais que ma grand-mère espérait toujours me revoir, même si j'avais changé. D'ailleurs c'est elle qui m'a élevée. Elle habitait le rez-de-chaussée de la maison de Zoqaq al-Blat. Mais, alors que mes parents et moi nous apprêtions à quitter le Liban, elle avait refusé de nous accompagner. Qu'avait-elle de différent, la vie, là-bas, en Australie ? Rien, partout dans le monde, les vies se ressemblaient. Elle qui n'avait jamais voyagé disait pouvoir se représenter toutes les capitales de la Terre. La façon dont les gens marchaient dans la rue, dont ils s'habillaient, dont ils se nourrissaient, tout cela elle le devinait sans avoir à bouger, elle le voyait de chez elle, de sa maison. (Sa maison qui, à l'origine, était une villégiature. Mais l'occupation de l'immeuble de Zoqaq al-Blat par des réfugiés venus du Sud l'avait finalement contrainte à s'installer à demeure dans cette maison d'été.)

Quant à moi, je ne l'ai pas trouvée changée, à croire qu'elle n'avait pas vieilli. Elle était juste un peu moins mobile à cause d'un parkinson chronique. (Lors des crises, tout son corps était secoué de spasmes. Sa tête oscillait convulsivement de droite et de gauche, et si elle avait alors quelque peine à s'exprimer, elle demeurait capable de communiquer.) Et puis elle se couvrait désormais d'un long *mindîl* [1] blanc. J'avais gardé l'image d'une femme qui ne cachait rien de son abondante chevelure noire aux reflets d'argent. Elle sortait nu-tête, même l'hiver. De tout le village, elle était la seule à refuser de se voiler. Elle se montrait ainsi aux yeux de tous sans se soucier des commérages, quitte à rentrer complètement trempée les jours de pluie. Un instant, son visage s'illuminait, comme si une vague de plaisir la submergeait, qui bientôt se retirait.

Au début de mon mariage avec Chris, j'attribuais le malentendu qui planait entre nous au fait que nous parlions chacun une langue différente. Si, de mon côté, j'optais pour la netteté et la franchise, le malaise se dissiperait. Ce choix ne fit que creuser encore le fossé qui nous séparait ; éliminant toute ambiguïté entre nous, il révélait qu'il s'agissait non pas d'un simple malentendu mais d'une étrangeté de l'un vis-à-vis de l'autre, qui devait aller grandissant jusqu'à prendre un tour irréversible. Lassée, je m'y suis résignée et j'ai pris le parti de ne plus parler. J'ai mis longtemps avant de découvrir le plaisir du silence, du non-dit. Du même coup a resurgi en moi le besoin d'un plaisir oublié : celui d'être aux côtés d'un homme qui me fasse rire. Alors je me suis mise à rire toute seule, laissant Chris deviner pourquoi.

---

1. Voile que portent les femmes druzes.

Cela l'agaçait, je m'en rendais compte, mais il a fini par s'y habituer et ne plus y prêter attention. Moi partie, je le savais, il n'éprouverait pas ce manque qui me hantait au point de constituer une part indissociable de mon existence. Cependant, il m'écrirait de nombreuses lettres, cela, je le savais aussi. Finalement, je n'étais pour lui qu'une sorte de fruit exotique : quand je me trouvais à sa portée, le désir lui venait de me goûter mais, sitôt absente, je sortais de ses pensées.

Cependant, il continuait à contester tout ce que je pouvais dire ou faire, arguant de mon caractère fantasque et de mon indécision. Peut-être avait-il raison. J'ai toujours eu l'impression de ne pouvoir me déterminer dans de nombreux domaines, ni définir ma perception du monde. Comment décrire le crépuscule, par exemple ? Est-ce la tombée de la nuit ? Les dernières traces de la lumière du jour ? Ou bien les deux ensemble ?

À peine rentrée à Beyrouth, il m'a fallu remplir des quantités de documents à soumettre au ministère. Une question de jours, disaient-ils. Il y a plus de deux semaines que je suis là et je continue à compléter des formulaires dont l'utilité m'échappe.

Pourquoi suis-je revenue ? Que fais-je ici au juste ? J'aurais pu envoyer une procuration à Olga ou à n'importe qui d'autre. Mais non, je devais me déplacer en personne car un promoteur voulait acheter la maison de Zoqaq al-Blat pour élever à la place une tour qui dominerait tout le centre-ville, déjà en pleine reconstruction.

J'ai trouvé à louer, au deuxième étage d'un immeuble non loin de l'Université américaine, un petit appartement égaré au fond du corridor. Je ne m'attendais pas à la visite de quiconque, quand on a frappé à la porte. C'était Nour. Il m'a serrée dans ses bras, comme s'il me connaissait depuis déjà des années.

Depuis mon retour, je n'ai encore revu personne. Je reçois juste la visite de Nour qui passe désormais chez moi tous les jours. Finalement je suis contente de le retrouver. C'est à croire qu'il m'attendait ici, qu'il m'est nécessaire de le voir pour renouer avec Beyrouth.

Une fois, nous sommes sortis et nous avons marché jusqu'à la mer. Dehors, il faisait un peu frais, comme toujours à l'arrière-saison. Tout d'un coup, se rapprochant de moi, Nour a passé son bras autour de mes épaules. Furtivement, comme s'il avait voulu me dire quelque chose puis s'était ravisé. C'est étrange, l'automne à Beyrouth. La journée commence sous un soleil plein de promesses, sous un ciel pur, d'un bleu cru, à vous faire pleurer les yeux, mais encadré de nuages, comme un tableau. C'est étrange de voir combien les couleurs changent vite à Beyrouth, l'automne. Le cadre du tableau s'étend peu à peu, jusqu'à l'envahir tout entier. Les nuages couvrent le ciel, virant du blanc à un gris diaphane qui s'assombrit au fil des heures. Le vent se lève soudainement, comme surgi de derrière les rares arbres encore en vie dans la ville.

«Beyrouth… Ville lestée de souvenirs et de souffrances. Mais à quoi bon ces souvenirs? Que les vagues viennent tout laver, et se retirent, emportant avec elles les histoires et les fables du passé, et la haine, et la rancœur!» ai-je pensé.

À cet instant, j'ai eu l'impression de revivre, intacts, les épisodes de la guerre que j'avais vécus quinze ans auparavant. Comme s'ils sommeillaient au fond de ma chair et qu'il avait suffi d'un rien pour qu'ils remontent à la surface. Seulement moi, je voudrais repartir de zéro et, un matin, ouvrir les yeux sur un soleil qui ne me rappelle aucun hier, ni aucune guerre. J'étais revenue à Beyrouth les mains vides, habituée à jouer perdante. À présent, je ne possédais rien, que tout ce que j'avais perdu.

*

« Ça y est, la guerre est finie, m'a dit Olga, qui, le bras tendu à la portière de la voiture, désignait avec fierté les hôtels du front de mer. Regarde, ils sont tous pleins, on n'y trouve plus une chambre de libre. » Elle m'accompagnait en visite chez la mère de Georges, le compagnon dont la guerre m'avait séparée et qui avait renoncé à me rejoindre en Australie. « Cette fois, c'est terminé, nous ne vivrons plus dans la peur, ils ont rasé toutes les levées de terre. Il n'en reste plus qu'une, sur l'autoroute de Jounieh, à quelques centaines de mètres du tunnel de Nahr al-Kalb. Et d'ailleurs il paraît qu'ils vont "nettoyer" la zone, d'ici peu », a-t-elle poursuivi. « Hier, ils ont "nettoyé" les positions des Forces libanaises, ils en ont arrêté Dieu sait combien, me suis-je dit à part moi. Déjà, il y a quelque temps, un responsable des Phalanges a disparu, enlevé par les Services secrets syriens. Puis un deuxième, puis un troisième… Tout cela en temps de paix. La guerre est finie mais, visiblement, nous avons encore besoin de beaucoup de haine pour vivre ensemble. Pour vivre la paix. De beaucoup de haine pour que se perpétuent les familles, et grandissent les enfants, et se relèvent les villes, et s'édifie une nation. Nous avons encore besoin de beaucoup de haine pour continuer à exister, autrement nous mourrons sans que personne n'en sache rien. Mais, à ce qu'on prétend, la guerre est finie. »

Nulle part au monde, je crois, les idées et les mots ne mentent comme à Beyrouth.

« La guerre est finie », ne cessait de répéter Olga. Ses paroles glissaient sur moi. C'était comme si les mots tiraient leur seule force de celui ou celle qui les prononçait, comme s'ils n'étaient plus que des sons semblables aux échos du vent s'engouffrant dans la forêt. Si seulement Georges m'avait écoutée le jour où je me suis envolée pour l'Australie. Si seulement il m'avait écoutée ce jour-là…

Avec quelle ténacité douloureuse je m'évertue à déchiffrer la situation ou à relier les faits les uns aux autres… Il y a encore des levées de terre sur l'autoroute de Nahr al-Kalb. La tension règne toujours mais la guerre a cessé. Soit. Dans ce pays, les affrontements sont terminés mais les levées de terre demeurent. Je commence à savoir accepter ces paradoxes, à savoir renoncer à comprendre. Il est évidemment très difficile de se placer en dehors du cours des événements et de considérer les faits sans les rattacher au passé, mais ce n'est pas chose impossible. Regarder chaque événement indépendamment de l'avant et de l'après, c'est devenu nécessaire ici. C'est contraire aux principes de l'histoire mais

mieux vaut prendre ce parti, ne fût-ce qu'une seule fois
dans ma vie. Ici vous n'avez guère le choix : ou l'oubli ou la
folie.

*

J'avais connu Georges à l'Université mais nous n'avions
vraiment lié amitié que lorsque nous avions travaillé
ensemble avec les Palestiniens du Fatah comme volontaires
à l'hôpital de Chatila. Tous les jours, il partait en voiture de
chez lui, à Sinn al-Fil, et passait me prendre à Zoqaq al-Blat
pour m'emmener jusqu'au camp. (C'était à l'époque où
les passages entre Beyrouth-Ouest et Beyrouth-Est étaient
encore ouverts.) Au fil du temps, notre amitié s'était changée
en amour. Nous nous retrouvions dans un appartement
qu'il avait loué dans le quartier de l'Université arabe. Mais
la guerre l'a enlevé et les siens nourrissent toujours l'espoir
de le revoir. Ni mort ni vivant, il est suspendu entre la guerre
et la paix, entre le passé et le présent. J'ai encore en mémoire
le jour où je lui ai confié que l'examen du docteur Hawwa
confirmait que j'étais enceinte et que celui-ci me conseillait
d'avorter, étant « une fille de famille, pas une putain, et célibataire de surcroît ». Sur le moment, j'aurais voulu hurler à
la face du médecin, mais au lieu de crier j'ai écarté ma main
de mon ventre dénudé et je suis aussitôt descendue de la
table d'examen, et puis je me suis rhabillée pour partir au
plus vite.

*

Aujourd'hui, je me suis rendue à la clinique où je m'étais fait avorter à l'automne 1979 pour tenter de retrouver la trace du docteur Hawwa : il avait été tué pendant la guerre. Quant à Georges... disparu. J'avais dans l'idée de rassembler mes souvenirs en retournant sur chacun des lieux dont l'image demeurait imprimée en moi. J'ai laissé derrière moi un homme à Mombassa et je suis revenue à Beyrouth. J'aurais voulu rappeler à moi mes amours avec Georges, non pas pour les revivre, mais dans l'espoir que se recollent les morceaux de ma chair. Seulement il a disparu, et son histoire avec lui. J'ai laissé au Kenya un homme et je m'étais juré de reconquérir sur lui ma propre histoire ; mais à quoi bon, on ne se réapproprie pas son histoire, et de toute façon il s'agrippe à la mienne. Et Olga... Elle partage le toit de ma grand-mère depuis son adolescence et pourrait me raconter des anecdotes à n'en plus finir sur ses aventures amoureuses, mais elle n'en souffle mot, c'est à moi de les découvrir. À moi de découvrir la suite de mon histoire avec Georges, à moi de découvrir la sienne, de reconquérir la mienne sur Chris et de courir après celles d'Olga. Par laquelle commencer, si toutes forment une part de moi-même ?

Pourquoi fouiller mon passé tel un fossoyeur qui croirait encore que les morts puissent revenir ?

J'étais venue à Beyrouth pour prendre possession des clefs de la demeure de Zoqaq al-Blat, la maison que m'a laissée mon père. Les clefs d'une demeure aux portes désormais condamnées. Il y en avait cinq, je me rappelle, et toutes donnaient sur une place qui, vue de l'intérieur, paraissait faire le tour du bâtiment, mais qui, en réalité, dessinait à peine plus qu'un arc de cercle. Cette maison était un héritage de mon grand-père. De lui, je n'ai d'autre souvenir que sa haute taille, sa canne et son tarbouche. Si, il me semble encore entendre sa voix tonner, dès qu'il franchissait le seuil. Mon frère et moi allions aussitôt nous cacher dans le *youk* [1], au fond du salon. Le cliquetis de ses clefs résonne encore à mon oreille. Il en était l'unique dépositaire ; il les accrochait à sa large ceinture de tissu, qu'il avait troquée pour une fine ceinture en cuir quelques mois avant sa disparition. Jamais mon père n'aurait osé les lui demander. À sa mort, il recueillit les cinq clefs. Son premier geste fut d'ouvrir toutes les portes et il pria ma mère de les laisser ainsi trois jours durant, le temps que s'achève le défilé des condoléances. Il en devint à son tour l'unique dépositaire. Les cinq clefs, c'était l'apanage du père.

Mon père a sombré dans la folie, la nuit où nous avons été bombardés. Toute la famille en a réchappé, sauf mon frère, qui se trouvait alors juste devant la maison. Je tente de me remémorer cette nuit-là... Cris de panique, échanges de tirs et bientôt ordre exprès de descendre au rez-de-chaussée. Mais ma mère a décrété que nous ne bougerions pas. Je ne sais pourquoi le hasard a voulu qu'elle en décide ainsi cette nuit-là. Si seulement ma mère avait su que mon père en perdrait la raison et mon frère, la vie !

Je me suis dès lors promis de ne plus jamais souffrir. Ma douleur s'est comme momifiée. Seulement la souffrance est

---

1. Sorte de grand coffre fixe où l'on empile les effets de literie pendant le jour.

pour ainsi dire aussi essentielle que l'air qu'on respire ; et peut-on continuer à vivre avec un simple filet d'air ?

Pour se protéger des pilonnages en provenance de Beyrouth-Est, les «déplacés» qui squattaient la maison avaient percé une ouverture de fortune qui leur servait d'accès.

Quant aux cinq entrées d'origine, elles sont restées closes. Les serrures ont rouillé, le fer des battants tout autant, qui a cependant résisté à tous les tirs. Une maison de deux étages avec cinq issues bouclées et puis des clefs égarées.

Je me suis souvent demandé pourquoi, à la différence de l'existence, les maisons n'étaient pas vouées à un usage temporaire. Enfant, j'avais vu mon père ajouter à cette demeure dont il avait hérité une grande pièce pour y installer une imposante cheminée en pierre. «À quoi bon te donner tant de peine ? lui avais-je alors demandé. Demain, quand tu disparaîtras, la maison se perdra. Alors puisque, un jour ou l'autre, tu mourras, pourquoi ne pas te contenter d'une maison qui vivra ton âge ?» Surpris, il n'avait su que répondre. Sans doute ne s'attendait-il pas à une pareille question. C'était un travailleur acharné. Ce goût de l'effort lui avait été transmis par sa mère qui, après la mort de ses parents, avait grandi dans une famille protestante. Bien que druze, il avait à son tour été élevé dans cet esprit. (Quoi qu'il en soit, la conception du travail chez les druzes ne diffère guère de celle des protestants.) On bâtit des maisons qui subsisteront durant des siècles, quand on n'y vit qu'un temps ; et pourquoi, si ce n'est simplement dans l'idée d'oublier sa fin prochaine ?

Nour m'a conduite en voiture chez ma grand-mère, au village. J'aurais tant aimé qu'il dorme sur place, mais il a décliné l'invitation. Je n'ai guère tardé à m'assoupir sur le canapé du salon. Lorsque je me suis réveillée au milieu de la nuit, Olga et ma grand-mère étaient déjà couchées. J'avais fait un rêve étrange. Le lendemain matin, je l'ai raconté à Olga. Dans ce rêve, il y avait Nour, l'homme que j'avais rencontré à l'aéroport de Dubaï, il y avait Chris, mon mari, qui m'attendait à Mombassa, et puis il y avait Georges, le disparu, que je n'avais pas vu depuis plus de quinze ans. Ils étaient tous trois réunis dans le salon. Tout en s'affairant à ranimer le feu, le disparu racontait aux deux autres l'histoire de sa vie. Moi, allongée sur le canapé, j'écoutais et je me laissais bientôt aller à somnoler. Enveloppée d'une chaleur délicieuse, je sentais en ces trois hommes des amis que je pouvais tous chérir, chacun d'une certaine façon, sans en souffrir. Au contraire, cet amour, qui dans sa signification et son contenu variait de l'un à l'autre, me procurait un sentiment d'euphorie, ma vie s'étendait devant moi à l'infini comme une plaine sans aspérités ni secrets.

«Ce Nour…», m'a demandé Olga avec un petit air coquin. Je lui ai répondu que c'était juste un ami. «Alors, tu vas être forte cette fois, ou bien tu vas rester la même, romantique et stupide? Tu sais, ma chérie, il faut se comporter comme une putain pour réussir à vivre avec les hommes.»

Au lieu de réagir, je me suis mise à repenser aux échecs amoureux que je lui avais connus du temps de mon adolescence. En fait, Olga ne s'adressait pas à moi, mais à elle-même. Elle s'adressait à la jeune Olga d'autrefois qui n'avait jamais su se choisir un homme. C'était comme si, découvrant ce qu'elle aurait dû faire, elle voulait maintenant regagner le temps perdu. Seulement peut-on jamais rattraper son passé et corriger ses erreurs ? Les paroles d'Olga tombaient hélas un peu tard, j'avais l'impression d'entendre une femme qui aurait découvert la contraception passé la cinquantaine.

À peine deux jours s'étaient-ils écoulés, Nour est venu me chercher pour me ramener à Beyrouth. Je lui avais manqué, m'a-t-il dit. Dans la voiture, j'ai laissé ma main errer entre les siennes. « Il est mon seul ami ici », ai-je pensé. D'où me venait pourtant ce sentiment de n'avoir rien trouvé à Beyrouth, rien sinon un homme prêt à m'accompagner au cours de ce voyage qui obstinément me signifiait ma perte ?

Traduit par Valérie Creusot

ELIAS KHOURY

ELIAS KHOURY est né en 1948 à Achrafieh, le quartier à dominante chrétienne de Beyrouth. À l'âge de vingt ans, il se rend en Jordanie, où il s'émeut au contact des camps palestiniens, ce qui l'amène à militer au sein de l'OLP. Après les massacres de Septembre noir, à Amman, il part pour Paris, où il rédige un mémoire sur la guerre civile libanaise de 1860 qui a opposé les druzes aux chrétiens. À son retour au Liban, il dirige, aux côtés de Mahmoud Darwich, la revue *Shu'un filistiniya* (*Les questions palestiniennes*). En 1975, il prend part activement à la guerre civile, durant laquelle il est sérieusement blessé et manque perdre la vue. En 1977, il publie son premier roman, *La petite montagne*, où il narre sur un rythme lancinant le chaos de la guerre, la disparition de la ville et la destruction de la vie. Par la suite, il consacre une vaste fresque à l'exode des Palestiniens en 1948 avec *La porte du soleil*. Le roman s'inspire de la structure des *Mille et une nuits* et retrace l'aventure des réfugiés et la guerre civile au Liban, avec en contrepoint une magnifique histoire d'amour – l'œuvre sera adaptée à l'écran par Yousry Nasrallah. Animateur du mouvement de la gauche démocratique avec ses amis Samir Kassir et Gibrane Tuéni, assassinés depuis, Elias Khoury dirige le supplément culturel du quotidien *an-Nahar* dont il a fait la tribune de l'opposition libanaise.

DU MÊME AUTEUR EN FRANÇAIS

Comme si elle dormait, traduit par Rania Samara, Éditions Actes Sud, 2007

Un parfum de paradis, traduit par Luc Barbulesco, Actes Sud « Babel », 2007

Le petit homme et la guerre : le voyage du petit Gandhi, traduit par Luc Barbulesco, Actes Sud « Babel », 2004

Yalo, traduit par Rania Samara, Actes Sud-Sindbad, 2004

La porte du soleil, traduit par Rania Samara, Actes Sud-Sindbad, 2003

La petite montagne, traduit par S. Zaïm et C. de Montella, Éditions Arléa, 1987 (épuisé)

L'histoire débuta ainsi.

En ce temps-là, Beyrouth vivait sous l'emprise d'un homme de trente-cinq ans, Victor Aouâd, originaire de Fitri, un village de la région de Jbeil. Il était de taille moyenne et chétif, avait le teint brun, le visage long et ridé, la bouche grande, le nez fin, les yeux noirs surmontés par des sourcils qui se rejoignaient, le front quelconque, les cheveux épais et noirs, l'humeur massacrante. Ses vêtements marquaient son indigence et sa pauvreté.

Non seulement cet homme régnait sur l'imagination des gens à Beyrouth vers 1948, mais il avait fait intrusion dans la vie de Hanna Salmân pour n'en plus jamais sortir. Son image – en train d'assassiner Antoinette Najjar, d'enterrer Émilie Ayntouri ou de fourrer leurs cadavres dans des sacs à charbon avant de les transporter jusqu'à la Quarantina, près du pont de la rivière de Beyrouth, et de les enfouir sous la cendre – faisait partie d'une certaine vie mystérieuse qu'aurait vécu Hanna Salmân bien avant sa propre vie.

Hanna se préparait à être exécuté.

Le prêtre Gerassimos était venu à la prison. Ce fut au

cours de la confession que l'incident eut lieu. Entrevoyant le spectre de la mort, Hanna avait décidé de dire la vérité, pour la première fois de sa vie. Le prêtre arriva et se retira avec Hanna dans la pièce où ce dernier avait la permission de rencontrer Norma avant le meurtre d'Ahmad al-'Itr. Hanna s'agenouilla et entama sa confession. Le prêtre n'en crut pas ses oreilles. Hanna ne parla que de la fille, avoua qu'il croyait, sans en être vraiment sûr, qu'il l'avait dépucelée, mais qu'il ne s'en repentait pas.

«Avec elle, mon père, je sentais que le sexe était vraiment du sexe et rien d'autre. Je ne vois qu'une seule scène : une jolie fille de vingt ans, debout devant moi, en train de se déshabiller. Je la regarde, je ne la laisse pas finir, je me jette sur elle, je couche avec elle. Je me vois en pleine action et, lorsqu'elle se met à sangloter, j'ai l'impression d'être le roi de l'univers!»

Hanna était lancé, racontant avec force détails. Le prêtre restait assis sur sa chaise, son étole posée sur la tête du criminel, les yeux grands ouverts comme pour s'assurer qu'il était bien dans l'enceinte de la prison, qu'il était bien en train d'écouter la confession de Hanna Salmân et qu'il ne rêvait pas.

Il interrompit la confession : «Bon, bon, mon fils. Nous avons compris cette histoire-là. Mais après?

— Après? C'est tout, mon père.

— Mon fils, si tu veux que je t'absolve, il faut que tu avoues. Tu es maintenant entre les mains de Dieu.

— C'est ça ma confession! répliqua Hanna.

— Mais qu'est-ce que tu racontes! Tu as pourtant avoué au tribunal, mon fils! Et maintenant tu ne veux plus rien dire?

— Mais, mon père, je n'ai tué personne, moi!

— Qu'est-ce que tu as fait alors ?

— Ce n'était pas moi. J'ai avoué sous les coups et à cause du sel. Ils m'ont fait manger un kilo de sel !

— Hanna, tu me fais perdre mon temps, ces paroles ne vont pas te servir. Le Seigneur a tout vu, il sait tout. Il suffit que tu te repentes pour que je te donne l'absolution et que je puisse m'en aller.

— Je dis la vérité, mon père. Je jure que je suis innocent. »

À ce moment-là, le prêtre perdit son sang-froid, il arracha son étole posée sur la tête de Hanna, dressa un doigt menaçant et dit :

« Quelle vérité ? Tu crois peut-être que la luxure est moins grave que le meurtre, mais pour le Seigneur, tous les péchés sont identiques. Confesse-toi et finissons-en. Demain tu feras face au Justicier, au Juste, aucun cheveu ne tombe de nos têtes sans sa permission. Tu ne pourras plus mentir alors. Allons, allons, je dois vaquer à mon travail, tu crois peut-être que je n'ai rien d'autre à faire ?

— Je jure que ce que je raconte est la pure vérité, mon père.

— Tu mens ! »

Hanna se dressa : « Non, je ne mens pas, c'est toi le menteur. Et puis, en quoi ça te regarde ? Je me confesse comme ça me plaît. Est-ce que tu te prendrais pour Dieu par hasard ? »

Leurs cris s'élevèrent. On raconta que Hanna avait frappé le prêtre et l'avait insulté, que les gardiens s'étaient rués sur lui pour le bourrer de coups de poings et de coups de pieds avant de le ramener dans sa cellule, complètement anéanti.

Deux semaines après cet incident, Hanna se rendra à l'église Saint-Nicolas pendant la grand-messe, il fera intrusion dans le sanctuaire derrière l'autel avec un couteau à la main. Le prêtre tentera de fuir, puis il finira par s'agenouiller devant Hanna et par lui baiser la main en s'excusant. Le sermon de ce dimanche-là sera à propos du criminel Victor Aouâd, de l'innocence de Hanna Salmân et de l'injustice qu'il avait subie, de son épreuve, car le Seigneur met à l'épreuve ceux qu'il aime. Il le comparera aux purs disciples du Christ qui ont dû endurer la persécution et qui ont tant souffert pour la gloire du Sauveur.

Après l'assassinat d'Ahmad al-'Itr, Hanna Salmân-le-Salé fut placé dans une cellule. Il y vécut en solitaire, il n'attendait plus désormais les visites de Norma. Il savait que son heure était proche. Depuis sa dispute avec le père Gerassimos il avait cessé de lire le Livre saint et de méditer l'histoire de saint Elias. Il s'était enfoncé dans une méditation spirituelle qui pesait sur sa poitrine comme une chape de pierre.

Un matin, maître Ahmad Younès arriva à l'improviste. Hanna s'était attaché à son avocat qui était le seul à croire en son innocence, même après qu'il eut avoué son crime au cours du procès. L'avocat avait fait l'impossible pour adoucir le verdict et faire commuer la condamnation à mort en emprisonnement à vie. Il avait écrit des articles dans les journaux et envoyé des suppliques au président de la République, mais ce fut en vain.

Il arriva ce matin-là, le visage assombri, pour dire à Hanna que l'affaire s'avérait très difficile.

«Je le savais, je le sentais bien, répondit Hanna, la voix brisée.

— La situation s'est beaucoup aggravée après le crime de la prison, il faudrait faire quelque chose», dit l'avocat.

Il suggéra à Hanna d'écrire une lettre au président de la République pour lui exposer les tortures sauvages qu'on lui avait fait subir.

« Je ne veux rien écrire, répliqua Hanna. Je voudrais en finir. Tout m'est égal maintenant. Avant, nous disions que la mort ressemblait au sommeil, nous pensions que c'était une blague et nous riions. Maintenant, je sais, la mort est comme le sommeil, pourquoi en avoir peur ? Ce qui me gêne surtout c'est la corde. Est-ce que vous savez si on souffre beaucoup au moment d'être pendu ? »

L'avocat lui expliqua que la douleur de la potence était très légère car, dès que la corde était tirée, le cou se brisait, l'homme s'évanouissait et perdait toute sensation de souffrance. « C'est l'affaire de deux ou trois secondes, après, tout devient plus facile.

— À la grâce de Dieu », dit Hanna. Il fit ses adieux à l'avocat en l'embrassant sur les joues et en lui demandant de saluer ses enfants et sa femme de sa part, de leur dire que leur père était innocent et qu'il était mort injustement. Lorsqu'ils se quittèrent, Hanna avait les larmes aux yeux, l'avocat aussi.

Les journaux libanais du 3 octobre 1948 parurent avec le décret suivant, paraphé de la main du président de la République, cheikh Bichara al-Khoury :

Le Président de la République,
au vu de la Constitution libanaise,
au vu de la décision du président du comité de grâce
du 28 septembre 1948,
au vu de la proposition du Premier ministre, ministre
de la Justice,

décide :

1 – De mettre à exécution la condamnation à mort émise le 24 juin 1948 par le tribunal criminel à l'encontre de Hanna Salmân.

2 – L'exécution aura lieu sur la place sise près du Palais de Justice.

Ce décret sera publié, il sera diffusé auprès de qui de droit.

Dans la nuit du 4 octobre 1948, pendant que les ouvriers de la voirie de la mairie de Beyrouth étalaient du sable rouge sur la place du Palais de Justice et dressaient la potence, les prostituées de la rue al-Moutanabbi veillaient et s'apprêtaient à se rendre sur la place pour regarder le criminel. Beyrouth en entier se préparait à célébrer la pendaison de Hanna Salmân. Ibrahim Nassâr se trouvait chez lui en train de siroter un verre d'arak, disant qu'il ne pouvait pas dormir car il devait sortir à l'aube pour assister à l'exécution. Norma quant à elle versait toutes les larmes de son corps. La femme de Hanna Salmân avait fermé portes et fenêtres et refusait d'ouvrir sa porte à quiconque.

Tout le monde était informé que la matinée du lundi 4 octobre 1948 serait consacrée à l'exécution, sauf Hanna. Il s'était couché sans rien savoir, sans ressentir ni peur ni inquiétude particulières.

À une heure du matin, on entendit un brouhaha dans la cour de la prison de Raml. Les geôliers crurent que l'heure était venue d'aller regarder l'homme trembler et claquer des dents à l'heure de sa mort. Ils essuyèrent les bâillements sur leurs bouches, retroussèrent leurs manches, prêts à soutenir le condamné, au cas où ses jambes ne le porteraient pas.

Trois voitures arrivèrent, le magistrat Jamil Salamé sauta de l'une d'elles, suivi par l'avocat Ahmad Younès et par trois fonctionnaires. Ils se précipitèrent dans la cellule de Hanna. Le premier à entrer fut l'avocat, qui se mit à le secouer en s'égosillant, sa voix était entortillée, comme s'il s'efforçait de maîtriser les émotions qui se bousculaient au fond de lui. Hanna ouvrit enfin les yeux, il fut aveuglé par la lumière de la pièce et comprit.

« Ça va aller, dit-il d'une voix chevrotante.

— Lève-toi vite ! Vite à la maison ! » dit l'avocat.

Hanna crut que le rite de l'exécution avait commencé et qu'on avait fait venir les membres de sa famille pour qu'il les voie une dernière fois.

« Je ne veux voir personne », dit Hanna. Ses dents s'entrechoquaient dans sa bouche.

« Allez ! Lève-toi ! Béni soit le Seigneur ! »

L'avocat lui prit le bras pour l'aider à se mettre debout, mais Hanna s'écroula par terre, comme s'il s'était évanoui.

« Béni soit le Seigneur ! La vérité s'est dévoilée, ils ont arrêté le criminel. Tu as été innocenté. Lève-toi et rentre chez toi. »

M. Karim Maalouf, le nouveau directeur de la prison, ainsi que le magistrat et l'avocat, se tenaient devant Hanna, toujours affalé par terre. Le sommeil n'avait pas encore quitté les traits de son visage, il entendait ce qui se disait autour de lui mais ne comprenait pas un traître mot. Il se gratta le visage et le dos et des écailles blanches en tombèrent. Il se leva enfin, mais, ses jambes ne le portant pas, il faillit s'écrouler de nouveau par terre. Les gendarmes le portèrent jusqu'à la voiture de l'avocat, qui le ramena chez lui.

En ces jours-là, la police libanaise venait de découvrir, par pur hasard, les crimes de Victor Aouâd. Il avait tout avoué au moment de son arrestation.

Victor Aouâd vivait avec sa femme au quartier Gemmeyzé à Beyrouth, il travaillait à la boutique de charbon de son oncle, Maroun Aouâd. Ce dernier avait été atteint de gangrène et les médecins avaient été obligés de lui amputer les pieds. Victor gérait la boutique et trimballait son oncle dans une voiture pour l'emmener de la maison à la boutique et vice versa. L'histoire de Victor Aouâd était vraiment étrange, car c'était quelqu'un de connu pour sa foi et pour son adoration de la Sainte Vierge. Son deuxième oncle, le prêtre Samaân, était son mentor. Or, au lieu de suivre son exemple et d'entrer dans les ordres, Victor était entré dans l'armée, et c'était là que ses problèmes avaient commencé. Il avait été accusé d'escroquerie et de vol et avait été condamné à onze ans de prison. À sa sortie, personne n'avait voulu l'embaucher car il était un soldat radié de l'armée et possédait un casier judiciaire. En effet, il avait cambriolé l'entrepôt de chaussures de la caserne Fakhreddine et les avait vendu au souk.

Comme il avait quitté l'école avant son baccalauréat pour s'engager dans l'armée, il fut obligé de travailler à la boutique de son oncle. Une année plus tard, il se mariait avec Nouhad Aouâd, une cousine éloignée du village de Fitri, qui travaillait comme servante chez M. Adib Tabet, dans la rue Mar Nicolas, à Achrafieh. Ils n'eurent pas d'enfants.

Puis la série des crimes avait commencé.

Victor Aouâd avoua trois crimes : celui de la prostituée Antoinette Najjar, celui d'Émilie Ayntouri et celui de son propre cousin Joseph Aouâd. L'unique motif des trois meurtres était l'or. Dans ses aveux, il dit que l'or des bracelets d'Antoinette l'avait poussé à l'assassiner. Le meurtre de son cousin Joseph, qui avait déclenché la découverte des autres crimes, avait aussi l'or pour cause. En effet, Joseph avait arnaqué un bijoutier, lui avait extorqué une grande quantité de bijoux sous prétexte de les écouler. Victor l'escroqua à son tour, l'attira dans la boutique de charbon, où il l'abattit de quatre balles dans la tête. Il l'enveloppa dans un sac à charbon et le jeta dans une fosse à la Quarantina, où il avait déjà camouflé les cadavres d'Antoinette et d'Émilie. Il le recouvrit de poudre de charbon. La pluie tomba, charria le cadavre jusqu'à la mer ; il fut découvert quatre jours plus tard sur le littoral de la ville de Jounieh.

Victor Aouâd avoua ses crimes avec une surprenante facilité. On n'eut aucun besoin de lui faire subir des tortures. Il avoua les meurtres de Joseph, d'Émilie et d'Antoinette. C'est ainsi que l'enquêteur découvrit que Hanna Salmân n'était pas l'auteur de ces meurtres.

Il était dix heures du soir, le 3 octobre 1948. On contacta le Palais présidentiel, qui fit promulguer le décret de grâce, sauvant ainsi de la corde le cou recouvert d'écailles blanches de Hanna.

Hanna n'oublia jamais la potence.

Tout au long de la cérémonie, il eut la sensation que c'était lui qui allait être exécuté. Il avait assisté au procès et s'était rendu sur les lieux des crimes où Victor Aouâd reconstituait les scènes de ses meurtres. Il sentait que cela aurait pu être lui. Il avait observé le véritable criminel en train de reconstituer les crimes qu'il avait lui-même mimés auparavant. Il eut peur de la vérité et eut la révélation que l'être humain pouvait devenir n'importe quoi et que, dans cette affaire, il ne s'agissait de rien de plus qu'une affaire de coïncidence.

Victor raconta, sa voix était glacée comme si elle n'émanait pas d'une bouche humaine. Il raconta tout, avec le débit neutre et ininterrompu d'un magnétophone, comme si le crime n'était pas son obsession. Hanna savait bien, après avoir plongé dans l'univers magique que lui avait ouvert Sami Khoury grâce au secret des choux, que le crime et le trafic de drogue pouvaient constituer de véritables obsessions. L'obsession emportait son homme vers des lieux inconnus, dominait ses épaules, les rendait fébriles et chancelantes, comme si elles appartenaient au corps d'un autre homme.

Pourquoi Victor avait-il agi de la sorte?

Hanna regardait fixement cet homme chétif qui montait sur l'estrade de la potence en se retournant à droite et à gauche comme s'il attendait l'apparition de quelqu'un. «Dieu miséricordieux!» s'exclamerait Hanna en voyant le corps de Victor Aouâd gigoter dans l'air et son âme s'échapper, pareille à un nuage de fumée noire.

Ce jour-là, le 31 janvier 1949, les gens avaient commencé à affluer sur la place du Palais de Justice dès deux heures du matin. Il faisait grand froid et les gens se poussaient du coude pour parvenir le plus près possible de l'échafaud, risquant même de faire chavirer l'estrade tant ils se bousculaient. Les gendarmes firent cercle autour de la potence et tentèrent de retenir la foule. On estima à cinq mille le nombre des personnes présentes qui s'étendaient en vagues serrées jusqu'au cinéma Capitole et même jusqu'au quartier de Bab Idriss.

La voiture noire de la prison arriva à six heures et demie, elle fut accueillie par la foule avec un immense tollé, les youyous s'élevèrent des bouches des prostituées. Une femme de cinquante ans, au postérieur énorme, grimpa sur le bord de l'estrade et se mit à scander des poèmes en battant la mesure. Les femmes derrière elle lançaient des youyous comme si elles participaient à une noce. C'était un tohu-bohu général. Les gendarmes tentaient en vain d'empêcher les gens de s'approcher de Victor Aouâd, qui semblait stupéfait et effrayé.

Sous la potence, on fit passer à Victor Aouâd la camisole blanche. Le bourreau remarqua le léger tremblement de ses pieds et le vit ravaler sa salive sans cesse. De loin, le spectacle était différent, car l'homme donnait l'impression d'être ferme et courageux. Il ne s'effondra pas, comme cela arrivait aux autres condamnés à mort, il n'eut aucune hésitation en enfilant la camisole. Il était distrait, tout simplement.

Après avoir vu Victor Aouâd revêtir la camisole blanche, les gens virent approcher une femme portant un sac. C'était la mère de Joseph Aouâd, qui était venue avec le sac dans lequel le criminel avait mis le cadavre de son fils. Elle s'accrocha aux basques de l'huissier du procureur général, le suppliant de la laisser accomplir sa vengeance, de permettre au criminel de voir le sac. Elle s'approcha de Victor, s'enfonça le sac sur la tête et se mit à tourner autour de lui à l'aveuglette, elle vacillait, alors que les youyous rythmaient ses pas. Le bourreau approcha, lui saisit le bras, comme s'il craignait qu'elle ne se cogne contre le socle de la potence. Victor demeurait ébahi, agrippé au poteau, il s'écria enfin : «Assez! Assez! Ce n'est pas une exécution, c'est une mascarade. Je veux parler.» Le bourreau repoussa la femme, qui retira enfin le sac, s'essuya les larmes avec avant de se perdre dans la foule.

Victor Aouâd dit à haute voix :

«Avant d'y aller, je voudrais embrasser maître Moussa Prince.»

Il embrassa l'avocat qui l'avait défendu et lui fit ses adieux. Il s'approcha de l'échelle et monta sur l'estrade. Le bourreau l'attendait pour lui passer la corde autour du cou.

«Attends une seconde, dit Victor au bourreau. Je veux parler, j'ai le droit de parler. Et vous, là-bas, arrêtez ces chants et ces youyous, vous aurez tout le temps plus tard. Dans quelques instants vous pourrez faire ce que vous voudrez, je ne vous entendrai plus. Je veux vous dire que je suis innocent, innocent! C'est vrai que je les ai tués, mais je ne sais pas pourquoi. Je suis innocent! Ce n'est pas ma faute, c'est la faute de l'État. J'ai volé, oui, mais les ministres volent chaque jour! Ils m'ont jeté en prison onze ans pour avoir volé trois mille livres. Et puis, qu'est-ce que je pouvais faire d'autre? Ce n'est pas ma faute, c'est la faute de l'État, c'est votre faute à tous. Vous m'avez laissé déchoir. Le pays entier est dans la déchéance. Je ne voulais pas tuer, mais c'est arrivé, voilà. Ça ne fait rien, je ne demande pardon à personne, je ne désire rien dans cette vie. Je crache sur la vie.»

Et il cracha par terre. Il reprit : «Je crache sur la vie!» et cracha de nouveau. Il se mit à lancer des injures et des invectives, perdit l'équilibre et faillit tomber. Le bourreau tenta de le pousser vers le nœud coulant de la potence, Aouâd se hérissa, recula et tomba par terre. L'avocat s'approcha et l'aida à se relever. Aouâd lui murmura quelques mots à l'oreille. L'avocat courut vers l'officier de justice, puis revint aider Aouâd à remonter sur l'estrade, tandis que le bourreau les regardait avec fureur, à croire qu'il était sur le point de commettre un meurtre à son tour.

« J'ai une dernière volonté, dit Victor Aouâd. Je veux une cigarette. »

L'huissier de justice lui tendit une Gitane.

« Non. Je veux une cigarette locale, de première catégorie, longue et mince. »

L'un des gendarmes lui en tendit une et s'apprêta à la lui allumer. La tête de Victor Aouâd recula.

« Non, pas toi. Je veux que Son Excellence, M. le président de la République, cheikh Bichara al-Khoury, vienne me l'allumer. Ce sera ma dernière volonté, après, vous pourrez faire de moi ce que vous voudrez. »

Il y eut alors un immense vacarme. Victor tendit le cou, la cigarette à la bouche, attendant l'arrivée du président de la République. Le bourreau le poussa sous la poulie de la potence, la cigarette tomba de sa bouche, sa tête entra dans le nœud de la corde. Il accueillit le nœud coulant avec des yeux exorbités. Le bourreau s'efforça de lui fixer la corde autour du cou et, lorsqu'il y réussit, il fit un signe à son collègue à l'aide d'un mouchoir blanc. Soudain, le corps de Victor se balança dans les airs, parcouru de violents frissons, qui étaient le présage d'une longue agonie. Il fut pris de secousses pendant presque cinq minutes.

Le silence régna, les youyous s'arrêtèrent net, les cris aussi.

Le silence vint envelopper le corps de l'homme suspendu dans les airs, puis la foule se dispersa. Le corps resta suspendu jusqu'à huit heures, jusqu'à ce que le médecin légiste arrivât pour l'examiner. Le prêtre arriva à son tour avec un cercueil et cinq hommes qui emportèrent rapidement le cadavre.

Samira, qui avait simulé la scène du meurtre avec Victor Aouâd, affirma avoir bien vu le président de la République. Elle dit qu'il était apparu soudain, lorsque Aouâd l'avait mandé pour lui allumer sa cigarette. Le président s'était avancé, il était de petite taille, avait une silhouette massive, un chapeau à l'occidentale et il marchait à pas mal assurés. Il avait pris un briquet en or dans sa poche, allumé la cigarette de Victor, puis reculé. Victor avait tiré deux bouffées de sa cigarette et l'avait gardée entre ses lèvres tremblantes, car il ne pouvait pas bouger les mains, prises dans la camisole blanche de l'exécution. La cigarette tremblante était enfin tombée de ses lèvres, le bourreau l'avait poussé et lui avait passé le cou dans le nœud de la corde.

Hanna n'avait pas vu le président de la République et ne se souvenait même plus si quelqu'un avait allumé la cigarette de Victor. Il dit à Ibrahim qu'on avait dû trouver tout simplement dans l'assistance quelqu'un qui ressemblait au président, car c'était impossible de refuser la dernière volonté d'un condamné à mort. On avait fait venir un homme petit et gros, on lui avait mis un chapeau sur la tête et on lui avait demandé d'allumer la cigarette de Victor Aouâd. Ce dernier avait été stupéfait de voir le président de la République arriver aussi rapidement. C'est ce que Samira rapporta par la suite. « Il pensait nous faire poiroter quelque deux ou trois heures. Qu'il soit maudit ! Nous avions mal aux jambes d'être restées tant d'heures debout, nous étions devenues aphones d'avoir tant crié, nous ne pouvions plus patienter plus longtemps. Et puis après, le bourreau l'a poussé, tout était fini. »

Samira relata cela à Hanna-le-Salé. Il trafiquait alors avec le réseau de Sami al-Khoury, comme dealer au quartier des prostituées. C'est ainsi qu'il était devenu son ami. Son QG se trouvait au café situé dans les écuries de l'immeuble rouge qui était jadis la demeure de Marika Spiridon, la reine de la rue des putains. Près du café, il y avait une petite chambre que frère Atiyyeh avait louée. Ce dernier faisait partie des néoprotestants qui avaient décidé de ramener dans le droit chemin les Marie-Madeleine que la société avait lapidées. Frère Atiyyeh se tenait devant sa petite boutique, brandissant l'Évangile, conviant les passants à se repentir. Il vociférait : « Le royaume des cieux est proche ! », puis il récitait par cœur quelques passages du Livre saint. Personne n'entrait dans sa boutique, sinon quelques jeunes, venus de l'école des frères maristes de Gemmeyzé, qui venaient surtout se gausser de frère Atiyyeh et de son prosélytisme. La phrase de ce dernier était devenue célèbre : « Le repos est là-haut, et ici, disait-il en montrant le sol, ici, il y a la souffrance, la peine et le péché. L'homme est né dans le péché, son unique salut est le Christ, alors que là-haut, disait-il en faisant un geste vers le haut, où se trouvait l'appartement de Marika, le repos est là-haut. C'est le repos éternel. » Les écoliers éclataient de rire en se bousculant dans l'escalier qui les menait là-haut, où ils trouvaient le repos éternel entre les bras des femmes, laissant frère Atiyyeh à sa niaiserie.

Hanna était le voisin de frère Atiyyeh, il adorait discuter

avec lui les Évangiles et les dogmes, surtout le dogme de la virginité de Marie, que frère Atiyyeh refusait obstinément.

Depuis ce café, Hanna gérait les activités de vente du haschich dans le quartier des prostituées, il avait monté son propre réseau, que le patron Sami lui-même devait prendre en considération, car Hanna allait cueillir les nouveaux trafiquants dans les respectables familles de Beyrouth.

Samira raconta à Hanna comment elle était tombée dans les pommes lorsque Victor Aouâd avait reconstitué la scène du meurtre d'Antoinette Najjar.

«Ils l'ont amené, il était onze heures du matin. Nous étions assises avec le procureur général, maître Asaad Badaoui, et nous l'écoutions. Il a raconté comment les bracelets en or étincelaient autour des poignets d'Antoinette et comment il avait décidé de la tuer. Il lui avait donné rendez-vous à minuit. Il est arrivé, a bu de l'arak, tandis qu'elle fumait un joint. Son copain arménien l'attendait en bas dans la voiture. Ensuite, il a couché avec elle avant de l'égorger.»

Le magistrat lui avait demandé s'il était ivre lorsqu'il l'avait égorgée.

«Quand même, Excellence! avait répondu Victor. Comment voulez-vous que je sois ivre après un seul verre d'arak? Je suis sorti sur le balcon et j'ai fait signe à mon ami de se tenir prêt. Je suis rentré dans la pièce, je me suis étendu près d'elle, je l'ai prise deux fois, puis j'ai mis la lame du rasoir sur son cou et je l'ai incisé à deux reprises. Lorsque la lame est entrée dans sa gorge, elle a commencé à gémir. Je lui ai fermé la bouche avec ma main jusqu'à ce que je me sois assuré de sa mort. Je me suis lavé les mains ensuite, je lui ai enlevé ses bracelets et je suis allé sur le balcon pour vérifier si Barsikh m'attendait toujours. C'est sa faute, c'est la faute de l'Arménien ! Je suis descendu, il m'attendait en tremblant dans la voiture. Je lui ai dit de patienter encore quelques instants. Il m'a demandé où était l'or, je lui ai dit de se calmer. J'ai pris le sac à charbon dans la voiture et je suis remonté. J'étais troublé, c'est lui qui m'a troublé tant il était effrayé. Bref, je l'ai mise dans le sac, je l'ai portée sur mon dos et je suis redescendu en quatrième vitesse. Nous avons filé en catastrophe vers la Quarantina. C'était là mon erreur ! Dans ma hâte, je n'ai pas prêté attention au sang qui avait coulé sur l'oreiller, sinon je l'aurais emporté avec moi et l'on aurait pu penser qu'elle avait disparu, tout simplement. »

Le procureur général demanda à Samira Nachef de jouer le rôle. Elle se coucha dans le lit et, devant les yeux du procureur, des magistrats et des gendarmes, Victor Aouâd tenta de l'embrasser sur la bouche.

« Mais qu'est-ce que tu fais ? Malheureux ! s'écria le procureur général.

— Ben, je l'embrasse.

— Pas de baisers ni de conneries de ce genre ! On n'a pas le temps pour tes histoires de petite crapule. Finissons-en, joue-nous la scène du crime. »

Victor serra Samira dans ses bras après s'être couché près d'elle. Il lui coupa la gorge deux fois avec un peigne. Samira gémit puis elle s'évanouit.

« J'ai vu le peigne briller comme une lame de couteau, je voulais m'enfuir, mais il me tenait de manière horrible. Je ne pouvais plus bouger. Quand il m'a passé le peigne sur le cou, j'ai senti que j'allais mourir pour de bon. Plus tard, Mme Bianca m'a dit que je m'étais évanouie, que toutes les filles s'étaient mises à pleurer et que les gendarmes avaient donné une bonne raclée à Victor Aouâd. »

Hanna ne demanda pas pourquoi Mme Bianca avait témoigné contre lui à l'époque où on le soupçonnait d'être le meurtrier d'Antoinette. Bianca avait affirmé qu'il était l'assassin.

« C'est lui, oui. Je l'ai vu redescendre, avait dit Bianca.

— Moi ! Tu m'as vu, moi ?

— Oui, toi. J'ai entendu aussi sa voix, c'était bien la sienne.

— Ma voix ! s'était exclamé Hanna.

— Pour sûr ! Ta voix. C'est lui, monsieur, en chair et en os. »

Le plus étrange c'est qu'il n'y avait aucune ressemblance entre les deux hommes pouvant expliquer l'horrible méprise de Bianca. Hanna avait le teint clair, il était de petite taille et corpulent, son petit ventre débordait devant lui. Personne n'aurait pu se tromper.

« La nuit recouvre tout, dit Samira.

— Comment ça la nuit recouvre tout ? Merde ! Vous avez failli me faire pendre.

— Nous sommes les gens de la nuit, nous ne voyons que l'obscurité. On nous raconte des histoires qui se révèlent toutes mensongères. L'un te dit qu'il est le propriétaire de plusieurs compagnies, alors que le fond de son pantalon est tout élimé. La voix de l'autre chevrote lorsqu'il dit qu'il aime sa femme mais qu'il est obligé de la tromper car elle est indisposée. Un autre est fils de député. Un autre encore me demande de l'épouser car je lui rappelle feu sa mère. Qu'est-ce que je sais encore ! Tout n'est que mensonge. On nous a dit que c'était toi, et nous avons dit que c'était toi. Ça ne nous regarde pas, nous n'avons rien vu, d'ailleurs. Quelqu'un est entré et a assassiné Antoinette. Le quartier a été frappé par la peur. On t'a emmené, et nous avons dit : "Heureusement, le criminel a été arrêté, nous pouvons recommencer à travailler tranquillement." Puis tu es venu reconstituer la scène du meurtre dans notre quartier, tu t'es couché sur le ventre, tu t'es évanoui. C'est bien toi qui as dit, en présence de Bianca, que tu avais égorgé Antoinette avec un couteau de cuisine ! Tu as créé de toutes pièces une histoire sur ton amour pour elle, sur sa trahison. Ne te fâche pas, tout n'est que mensonge, je n'en sais rien, moi, peut-être que Victor Aouâd n'a pas tué, peut-être qu'il n'y est pour rien non plus, qu'il ne faisait que reconstituer la scène et qu'il s'est pris au jeu un peu plus que toi.

— Et puis après ?

— Après quoi, mon chou ?

— Après qu'il t'a égorgée avec le peigne, qu'est-ce qui s'est passé ?

— Je suis morte.

— Morte !

— Non, c'est-à-dire que je me suis évanouie. Ils ont pensé que j'étais morte. Tu sais, on tombe dans les pommes d'un seul coup, sans le sentir. Si… lorsqu'il m'a serrée dans ses bras, j'ai commencé à trembler comme une feuille. Il m'a surprise ensuite avec le peigne et j'ai perdu connaissance quand je l'ai senti sur mon cou.

— Et puis après ?

— Après, je me suis réveillée. On m'a raconté qu'ils n'avaient pas cessé de le bourrer de coups, que les femmes l'insultaient, se ruaient sur lui en brandissant leurs chaussures et que les gendarmes les ont fait reculer enfin et l'ont emmené en prison.

— Dieu miséricordieux !

— Tout baigne dans la miséricorde, mon chou. Nous sommes allées ensuite assister au spectacle de la pendaison. Mais… tu veux que je te raconte la vérité vraie ?

— La vérité, dit Hanna.

— La vérité, c'est que je suis restée trois mois sans pouvoir travailler. Chaque fois qu'un client s'approchait de moi, je sentais le corps de Victor Aouâd sur moi, avec le peigne à la main. Je me levais, je me mettais à pleurer. Sans Mme Bianca, je serais morte de faim. Elle a réussi à convaincre Mme Marika que je traversais une crise psychologique. Puis, avec le temps, j'ai commencé à oublier et j'ai repris le boulot.

— Et pourquoi tu pleures maintenant ? demanda Hanna.

— Ne pense pas que je pleure parce que j'ai eu peur. Je pleure sur Antoinette, Dieu ait son âme ! La pauvre, elle est morte pour rien.

— Nous tous emprunterons ce chemin, dit Hanna.

— Très juste, mais pas comme ça. Quel monstre ! Que te dire encore ? Nous nous sommes habituées ensuite et le boulot a repris. Il a été pendu et nous avons poussé des youyous de joie. Que le Seigneur nous soit miséricordieux ! Donne-moi une cigarette. »

Hanna alluma une cigarette et la lui tendit.

« Où est ton peigne ? demanda Hanna.

— Pour quoi faire ?

— Pour jouer la scène.

— À Dieu ne plaise!»
Hanna lui entoura les épaules du bras en éclatant de rire.
Samira prit une bouffée de la cigarette et la lui rendit.
«Non. Pas de ces cigarettes-là. J'en veux une pleine.»
Hanna roula pour elle un joint. Samira tira quelques
bouffées avides avant de plonger dans le sommeil.

Traduit par Rania Samara

CHARIF MAJDALANI

CHARIF MAJDALANI est né en 1960 à Beyrouth au sein d'une vieille famille chrétienne orthodoxe. Il a toujours vécu à Beyrouth, passant l'été dans les montagnes autrefois assez sauvages du Kesrouane. Il a fait toute sa scolarité au Lycée français de Beyrouth. Il a quinze ans au moment du déclenchement de la guerre civile. À vingt ans, il part pour la France et passe douze ans à Aix-en-Provence, où il fait ses études à l'université. Il y soutient une thèse sur Artaud. En 1993, il revient à Beyrouth enseigner à l'université Saint-Joseph la poésie du xxᵉ siècle et le roman contemporain. Entre 1995 et 1998, il collabore étroitement à la revue *L'Orient-Express* dirigée par le journaliste Samir Kassir et qui sera durant trois années la revue francophone la plus inventive et la plus audacieuse du Liban. À l'occasion de la

tenue du sommet de la francophonie à Beyrouth en 2002,
il écrit le *Petit traité des mélanges ; du métissage culturel considéré comme un des beaux-arts*, où il exprime son « agacement
devant l'aimable notion de dialogue des cultures ». Son premier roman, *Histoire de la Grande Maison*, a reçu un excellent accueil du public et de la critique. Il narre la saga d'une
famille de Grecs orthodoxes, depuis la fin du XIXe siècle jusqu'au milieu des années 1930. Cette fresque épique, écrite
dans un style classique, nous restitue avec verve l'incroyable
kaléidoscope que constitue l'histoire de cette grande maison
qu'est le Liban. Dans le second, *Caravansérail*, un petit-fils
raconte l'extraordinaire odyssée de son grand-père au début
du XXe siècle, entre le Darfour et le Liban en passant par
Khartoum, Le Caire et les déserts d'Arabie.

DU MÊME AUTEUR
Caravansérail, Éditions du Seuil, 2007
Histoire de la Grande Maison, Seuil et « Points » (n° 1534),
2005 et 2007
*Petit traité des mélanges ; du métissage culturel considéré comme
un des beaux-arts*, Éditions Layali, Beyrouth, 2002

UN RENDEZ-VOUS
DANS LA MONTAGNE

Je suis le gardien du temple. Enfin, pas tout à fait, même si je me plais à commencer ainsi la relation de cette histoire. D'ailleurs pourquoi ne la commencerais-je pas de cette façon puisque ce dont j'ai la garde, c'est quelque chose qui se tient à l'emplacement d'un site antique, au cœur des montagnes. Je suis en effet le gardien d'une station de relais satellite couplée à une station de téléphonie traditionnelle. Je vis à l'ombre d'une antenne parabolique ouvrant sa vaste oreille au bruissement des cieux, du vent et des étoiles et je passe mes journées entre ma petite chambre et le bungalow à l'intérieur duquel clignotent sans arrêt de petites ampoules rouges sur des cadrans qui sont comme les tiroirs d'un secrétaire aux mille cachettes. Autour de la station, il y a des arbres, des chênes verts dodus et, plus près, des pommiers et des poiriers. Et puis, à quelques pas, les vestiges d'un temple. Ce ne sont que restes de murs et colonnes entourés d'un grand chaos d'imposantes pierres taillées dispersés partout comme par un gros tremblement de terre. Au milieu de tout cela néanmoins, comme la perfection que le désordre enclot, un pavement de mosaïques déploie son entrelacs et ses motifs animaliers. Des biches et des poissons y sont encore visibles. Dans un large médaillon, un aigle royal est encadré de vaguelettes – sans doute le symbole des nuées où il est censé se mouvoir. Cette merveille, dont les couleurs sont en train de s'estomper au soleil, est rarement visitée, sinon par les chèvres qu'un pâtre laisse parfois gambader parmi les ruines et qui, sur le tapis de pierres bariolé, déposent leurs chapelets de crottes, malgré les remarques que je fais chaque fois à leur maître, à quoi il répond par un haussement d'épaules, appuyé du coude à son bâton.

Car il ne vient presque personne par ici. Nous sommes sur un point élevé, très isolé, sans route vraiment carrossable. Ce qui fait que l'une de mes principales activités quotidiennes consiste à poser ma chaise sur la petite plate-forme devant ma chambre et à m'asseoir, les pieds sur une vieille caisse, face aux gorges du torrent et aux divers sommets qui m'entourent. J'en contemple inlassablement les reliefs qu'exaltent les lumières fastueuses du matin, avant que, souvent vers midi, le brouillard d'été ne les gomme progressivement à ma vue. À ce moment, je me lève pour vaquer un peu, ou préparer mon repas. Dans l'après-midi, quand je me réveille d'une brève sieste à laquelle la blanche disparition du monde m'a encouragé, les montagnes sont en train de réapparaître, petit à petit, lentement, nonchalamment. Le paysage en son entier se dégage enfin triomphalement et clame sa majestueuse et muette présence face au ciel redevenu d'une limpidité sacrale. Je me réinstalle alors sur ma chaise en buvant du café et je me dis que j'ai de la chance d'être là, même si, évidemment, je n'y suis pas seulement pour admirer les splendeurs de la création et ne rien faire.

Pour l'instant en tout cas, je ne fais pas grand-chose de plus. Au réveil, je m'acquitte d'une petite tournée durant laquelle je vérifie que tout fonctionne normalement dans le bungalow aux tiroirs clignotants. Quant à l'antenne, ma surveillance consiste à lever les yeux vers la parabole à son sommet pour constater qu'elle n'a pas bougé et ne bougera pas avant longtemps. Puis je fais le ménage, j'étale mes draps au soleil et je vais m'asseoir pour lire sous les pommiers. Assez souvent aussi, je quitte mon poste, je vais faire une marche, tantôt vers l'est, du côté où le petit plateau sur lequel se trouve la station recommence lentement à s'élever dans un peuplement d'arbres épars, et d'où je sais que mes hôtes viendront, et tantôt, mais plus fréquemment, en descente vers la source qui est au pied du Jabal. Le sentier, parfois abrupt, serpente entre les mûriers sauvages et les vieux noyers. Parfois, il rejoint d'anciennes terrasses agricoles abandonnées depuis des lustres et dont les murets, lentement pris d'assaut par la végétation, se dissolvent maintenant, se défont pour se renouer à la terre d'où leurs éléments ont été extraits.

Sur mon chemin, je ne fais que peu de rencontres. Des bergers me voient comme je les vois, mais ils sont trop loin pour que l'on puisse communiquer. Un jour, j'ai aperçu une femme en noir dans les hauteurs, avec un chapeau au bord évasé, distraite, et qui se penchait pour ramasser quelque chose. À mon retour, elle descendait par le sentier. On s'est croisés et elle m'a raconté qu'elle cueillait du *zaatar* encore vert, et elle a voulu m'en faire sentir le parfum. J'ai alors fourré mon visage dans le sac où elle avait amassé les fleurs poudreuses et c'est toute l'essence de ces contrées que j'ai respirée avec bonheur.

Et puis un matin que je dévalais allègrement le chemin, donnant des coups de mon bâton dans les bosquets de ronces et les rampantes feuilles d'acanthe, j'ai entendu des voix d'enfants, fraîches et graciles, et aussi des rires, à quoi il s'est mêlé soudain quelques notes aiguës d'une flûte de berger. Je suis resté immobile, intrigué, et au moment où je m'apprêtais à repartir j'ai vu trois ou quatre fillettes, en tenue bariolée comme celle que portent les femmes du désert, courant au milieu de biches et de petites chèvres. Devant cette troupe cabriolant, un tout jeune garçon menait la danse en soufflant dans quelque chose comme un roseau troué, d'où il extrayait un rythme nasillard et joyeux. Ils ne m'ont pas remarqué, ils sont passés à dix pas de moi parmi les figuiers et ont disparu dans les hauteurs.

Après un bref moment de stupéfaction, j'ai réalisé ce que pouvait signifier le costume de Bédouines des petites filles. Khaled Ibn Massaad serait-il arrivé ? me suis-je demandé avec fébrilité et j'ai rebroussé chemin, remontant vers mon observatoire, espérant trouver la tribu entière devant la station, son chef m'attendant en buvant son café arabe. Mais il n'y avait personne. J'ai espéré et patienté, nul n'est venu, ce qui fait que je n'ai pas compris d'où étaient sortis ces enfants.

À l'issue de mes promenades, je m'installe pour lire ou pour méditer. De temps à autre, lorsqu'un détail lointain attise ma curiosité, je vais chercher mes jumelles. Ces jumelles, je les ai achetées pour observer le côté est et pour me tenir prêt au moindre signe de l'apparition de Khaled Ibn Massaad et des siens. Mais très vite, je me suis lassé des troupeaux de genévriers et d'ifs et je me suis mis à scruter l'autre côté, à en rapprocher de moi les spectacles lointains et ténus que je n'arrive pas bien à déchiffrer à l'œil nu et qui m'intriguent. C'est ainsi que je peux parfois suivre, le long des gorges du côté nord, les files de randonneurs remontant vers les sources du torrent, comme les pèlerins de l'Antiquité venaient visiter les temples de Vénus. De l'autre côté également, il m'arrive d'observer le travail des bûcherons faisant du charbon avec le bois des cyprès et des sapins. La fumée de leurs bûchers, je la vois à l'œil nu qui s'élève, en plusieurs points, tout le long du jour, droite comme des colonnes. Dans mes jumelles, j'observe les bûcherons eux-mêmes, sacrifiant sans fin depuis des millénaires la toison de ces montagnes. De si loin, leur lent et méticuleux travail de collecte paraît se faire dans un inquiétant silence, leur attente placide devant le feu me les fait prendre pour des êtres infernaux, pour les descendants du sombre gardien des forêts de cèdres de la légende, si bien que les espionner me donne le sentiment frémissant de surprendre dans leur intimité les forces ténébreuses que nul œil d'homme ne peut surprendre sans craindre de graves punitions.

Mais ce n'est pas seulement pour contempler ces immémoriales beautés que je suis ici, inactif depuis des mois, sous cette oreille tendue vers les astres, ni d'ailleurs pour surveiller distraitement une étrange boîte à clignotements. Si je suis ici, c'est pour tout autre chose. C'est parce que j'ai un rendez-vous. Khaled Ibn Massaad, un chef bédouin, doit venir et m'apporter quelque chose qui vaut de l'or, beaucoup d'or. Certes, tout cela n'a rien à voir avec le métier de gardien de relais. Et il faut bien dire que je ne suis pas gardien de relais, ni gardien de temple. Je ne sais d'ailleurs pas au juste ce que je suis, ni comment me définir. Commerçant, contrebandier, esthète? Je ne sais pas. Un peu de chaque sans doute.

Laissez-moi reprendre les choses à la racine. Voilà une dizaine d'années que je suis devenu marchand d'objets antiques. Mon père, entrepreneur en ingénierie des télécommunications, s'était constitué une importante fortune en construisant des relais satellite comme celui que je surveille actuellement, fortune qu'il avait lentement mais sûrement convertie en œuvres d'art. À sa mort, j'ai dû, en unique héritier, vendre à peu près tout ce qu'il avait collectionné pour payer mes droits de succession. Comme, de surcroît, j'ai découvert que mon père était endetté, il ne m'est rien resté de très consistant lorsque tout fut réglé. De ce dont j'héritais, je ne conservai que *Femmes et satyres dansant près d'un figuier*, un tableau de Picasso datant de 1934, de facture semblable à celle de *La joie de vivre*, qui se trouve au musée d'Antibes, ainsi qu'une petite collection de statuettes de style tanagra, représentant un ânier, deux paysannes et leurs cabas et une femme au chapeau, provenant toutes de la région de Tyr. Je crois que ces statuettes furent à l'origine de ma passion pour l'art antique, et me détournèrent de tout le reste.

J'avais fait des études de philosophie mais je me lassai rapidement de l'enseignement. Je finis par vendre le Picasso lors d'une séance d'enchères dont tous les journaux rendirent compte et me mis au commerce des antiquités. L'expérience des salles de vente, acquise lors de la liquidation des collections paternelles, et une réputation de connaisseur que je dois à mon père, me donnèrent du crédit. Mais je n'eus jamais de magasin, ni de fonds. Je me contentais d'acheter des objets qui me plaisaient et que je revendais au compte-gouttes. Un jour que je me trouvais dans la plaine de la Bekaa et que je chinais chez des marchands de bric et de broc, je dus être repéré par un petit intermédiaire ; il me conduisit discrètement vers un chef bédouin qui avait quelque chose à me montrer.

J'y allai davantage par curiosité pour le chef bédouin lui-même que pour ce qu'il aurait été susceptible de me montrer. Effectivement, ce qu'il exhiba d'abord, assis devant une batterie de cafetières en étain posées à même le charbon d'un brasero dont il s'occupait personnellement, ce n'étaient que quelques photos, prises avec un appareil de mauvaise qualité et représentant deux statues de style gréco-romain assez abîmées, dont il prétendait qu'elles avaient été déterrées récemment par là (il fit un geste vague du côté de l'ouest) et qu'il était prêt à me vendre. Comme j'avais un air dubitatif, il me tendit un nouveau cliché, sur lequel on pouvait voir un collier en or avec un pendentif en améthyste d'allure phénicienne gravée d'une petite scène. Cela pouvait fort bien être une copie d'original et je lui rendis sa photo en le remerciant poliment. Cette fois, il se mit à rire. Il était grand, très grand, avec une belle barbe grisonnante et des yeux de braise, entouré de plusieurs membres de sa famille, des jeunes en majorité, sans doute ses fils, qui l'écoutaient sans intervenir et m'observaient avec curiosité. Il me faisait penser à ces princes arabes de l'Antiquité. Il me fit signe de patienter. Un petit garçon, assis à l'écart, s'approcha de lui, tenant un sac en papier, de ceux avec lesquels on emballe les friandises ou les petits légumes dans les épiceries de village, un sac froissé, dont le papier semblait avoir été mâché d'avoir tant servi et d'être passé de main en main. Et de cet écrin minable, le chef fit rouler le collier dans sa paume. L'ancienneté de la chaîne était indubitable, mais c'est surtout la minuscule scène gravée sur l'améthyste, une déesse assise recevant une offrande, qui indiquait que c'était une pièce originale – et très belle. En prenant l'objet qu'il me tendait, je lui demandai d'où il le tenait et il pointa vaguement le doigt, en direction de l'est cette fois. Tout cela ressemblait diantrement à de la contrebande, mais ça m'était égal. À la question du prix qu'il exigerait pour cet objet, il me donna en revanche une réponse ferme, prouvant qu'il était sûr de son fait. C'était une somme importante, que je n'avais évidemment pas sur moi, mais je promis de revenir.

Je revins, au bout d'une semaine, avec dans la boîte à gants de ma voiture des liasses de billets de banque. Le camp était toujours en place, assez loin des villages de la plaine, mais à la lisière de terres cultivées sur lesquelles les hommes étaient ouvriers. Le chef me reçut aussi simplement que la fois précédente. Mais il était assis seul devant sa tente. Des femmes œuvraient en parlant très fort à trois pas. Après avoir rediscuté le prix du collier phénicien, il me fit signe de le suivre et nous nous dirigeâmes vers une automobile, une vieille japonaise de couleur marron, assez fatiguée, garée au milieu des terres. Arrivé à proximité de la voiture, il chassa les enfants qui jouaient là, à moitié nus, morveux et les cheveux en bataille. Il était coiffé de son *eggal* et enveloppé dans un caftan qui lui donnait une majesté certaine, même lorsqu'il entreprit de faire jouer une clé dans la serrure du coffre de la voiture. Il l'ouvrit et me laissa silencieusement dans la contemplation stupéfaite d'un buste d'Apollon en marbre posé au milieu de vieux chiffons gras, de papier journal, de crics et de manivelles. Lorsque je levai enfin les yeux vers lui, ébahi, il eut un sourire triomphal, et dut s'estimer satisfait car il referma le coffre et le verrouilla soigneusement, ce qui, pour un regard extérieur, pouvait passer pour un geste insolite tant par ailleurs les effets de sa demeure étaient déballés de tous côtés, ustensiles de cuisine, coffres, literie, dans un désordre indescriptible mêlé aux chèvres qui vivaient à leur aise parmi les Bédouins.

ALAWIYA SOBH

ALAWIYA SOBH est née en 1955 à Beyrouth. Elle a fait des études d'arabe et d'anglais à l'Université libanaise. Après une carrière d'enseignante, elle publie des nouvelles et des articles dans le grand quotidien libanais *an-Nahar*, puis, en 2002, *Maryam al-Hayaka*, son premier roman, qui relate l'épopée du Sud Liban depuis 1948 jusqu'à la fin de la guerre civile. Ce roman, qui s'attaque aux tabous de la religion et de la sexualité, a été largement salué par la critique arabe. Il sera toutefois interdit dans la plupart des pays du Golfe et retiré du Salon du livre du Caire. Alawiya Sobh a reçu le prix Qabous, à Oman, pour *Dounia* (*La vie*), paru en 2006 aux Éditions Dar al-Adab à Beyrouth. Ce dernier roman, au souffle épique et à l'écriture iconoclaste, retrace l'asservissement d'une femme par son mari, chef de guerre durant la guerre civile, handicapé et impuissant, qui la contraint à toutes les servitudes. Après avoir tenté d'inventer un érotisme au féminin, car tout érotisme a été jusqu'à présent, selon elle, une affaire de mâles, elle s'assigne cette aventure prométhéenne : arracher le feu de la langue arabe aux mains des hommes pour livrer celle-ci aux femmes.

DU MÊME AUTEUR EN FRANÇAIS
Maryam ou Le passé décomposé, traduit par Rachida Damahi Haidoux et Batoul Jalabi Wellnitz, Éditions Gallimard, 2007

DOUNIA

Les souvenirs me viennent en songe.

Je me vois petite fille, assise sur les genoux de mon oncle Abdallah, je me laisse envoûter par les histoires qu'il me raconte et par l'odeur âpre de son tabac à rouler. Une odeur qui me chatouille les narines mais qui ne m'écœure pas. Je promène prudemment mes doigts sur les poils naissants de sa barbe, prête à les retirer avant qu'il n'ouvre la bouche en feignant de les dévorer et qu'il laisse tomber la fin de l'histoire : « Et c'est ainsi que le renard dévora la poule ! Miam… Miam ! »

Mes rires déferlent et se déversent dans son giron, fière que je suis d'échapper au piège de ses mâchoires.

« Petite diablesse, fait-il en me serrant contre lui et en riant aux larmes, tu es bien la fille de ton père ! »

Immobile, la tête posée sur sa poitrine, totalement absorbée par le récit, je vivais l'histoire comme si j'en étais l'héroïne. Je repoussais la mèche de cheveux qui tombait sur mon large front pour mieux admirer les belles dents de mon oncle, des dents blanches et bien alignées. Et, sous mes yeux fascinés, sa mâchoire de loup se confondait avec la gueule de l'animal dont il me narrait l'aventure. Souvent, l'esprit au loin, je me laissais complètement emporter par le récit pendant qu'il parlait, mais la fin de l'histoire me ramenait à l'instant présent et à ces bras où je me blottissais, heureuse d'avoir échappé au pire.

«Mais, mon oncle, d'où connais-tu toutes ces histoires? demandais-je.

— D'où je les connais? Ma chérie, quand tu seras grande tu sauras que la vie n'est rien qu'une longue histoire. Heureux sont les êtres dont la mémoire survit, ceux-là auront vaincu la mort. Seule la mémoire est plus forte que la mort.»

Dans notre village, les sombres histoires de vengeance avaient fini par gagner les récits de mon oncle. Mais, lui qui détestait les fins tragiques, il les racontait en prenant soin de laisser la vie sauve à ses protagonistes. Surnommé le Maître du verbe par les gens du pays, il avait le talent d'enjoliver les phrases et d'arranger les histoires qui trouvaient dans sa bouche la même issue réconfortante, résumée par une formule immuable : «Et voilà, braves gens, tout est bien qui finit bien!»

Il remodelait à sa guise les contes des *Mille et une nuits* et d'autres contes bien connus, auxquels il inventait des fins heureuses, épargnant aux personnages une mort certaine. Contrairement aux histoires réelles des gens du pays, le sang ne coulait jamais dans ses histoires à lui. Sa sensibilité était si délicate que l'horreur se dessinait sur son visage quand par malheur il ne pouvait éviter de prononcer le mot «sang». Et quand, enfin, le personnage de l'histoire était tiré d'affaire, il poussait un profond soupir de soulagement, et l'auditoire, jusque-là tenu en haleine, faisait de même. Après quoi, chacun rentrait chez soi pour la nuit, apaisé et bercé par les dernières paroles de l'histoire : « Tout est bien qui finit bien. » Et cette sentence apparaissait alors comme la seule vérité vraie, un fait établi depuis toujours, que rien ne ferait jamais mentir.

Mon oncle ne me parlait jamais des crimes et des vengeances qui opposèrent notre clan, les Yahya, à celui des Dayère. Une vendetta aux rebondissements multiples qui débuta au cours de la guerre civile de 1958 et se prolongea au-delà de celle de 1975.

*

Les souvenirs me viennent en songe.

Avant de me lever le matin je revois encore ce jeu morbide dont, enfants, nous nous amusions. Nous creusions une petite tombe dans la terre et nous proclamions : « Ça, c'est la tombe de Hachem qui a tué l'oncle Yahya Yahya ! » Et je revois Wafiqa, la veuve de Yahya, assassinée par la suite dans des circonstances jamais élucidées. Je la revois, le visage assoiffé de vengeance, désignant son gros ventre et jurant de faire laver le sang de son mari par l'enfant à venir.

Bien souvent aussi, je me réveille en sursaut après la vision cauchemardesque de ma grand-mère Zohar, frappée de folie, courant derrière les enfants du village, un bâton à la main, en les maudissant et leur prédisant une mort atroce, comme celle qui avait emporté ses fils Jaafar et Yahya. Les pires insanités se déversent de sa bouche et n'épargnent personne, qu'on la prenne en moquerie ou qu'on la prenne en pitié.

Je la revois grimpant au grenier où elle conserve précieusement dans un coffre les vêtements que portait son fils Yahya le jour de son assassinat. Elle examine les taches brunâtres de sang desséché et elle les ravive de ses larmes en même temps qu'elle réactive l'impérieux besoin de vengeance qui l'habite. Ces reliques, qu'elle exhume régulièrement, lui rappellent l'absence de l'être disparu et le serment qu'elle a formé de venger son meurtre.

Mais ma grand-mère n'a pas conservé les habits ensanglantés de son fils Jaafar. Quand celui-ci fut tué, elle n'avait déjà plus sa tête. Le jour de son assassinat, elle se contenta de monter au grenier et, après avoir exhumé les habits de Yahya, elle lui raconta, en pleurant sans larmes, ce qu'on avait fait à son frère.

Jaafar fut tué au début de la guerre civile de 1975 et sa mort affecta tant les gens du village que les langues enfin se délièrent et on lava ainsi sa mémoire de l'accusation qui pesait injustement sur lui quant au meurtre de Hachem. Eux qui, de son vivant et pendant ses années de prison, n'évoquaient l'affaire que sous le sceau du secret.

Je me souviens de cette journée de printemps où on l'enterra vêtu de ses habits ensanglantés. Ce jour-là une fine pluie arrosait les corps, les têtes et les visages. Autour de sa tombe, les gens se tenaient en un rang serré, les yeux rivés sur le trou béant, quand soudain un jeune homme armé surgit devant eux. Il avait été le compagnon d'armes de la victime dans la milice qui, au début de la guerre, l'avait accueilli et protégé, lui et d'autres prisonniers après leur évasion de la prison al-Raml. Il se dressa droit devant l'assistance et tira en l'air vingt et un coups de fusil vengeurs. Des coups de fusil qui détonèrent dans le silence alentour, mettant fin à la quiétude du cimetière et au repos des morts. Une expression de grande douleur marqua le visage de mon oncle Abdallah au moment où des «Allah-u Akbar» retentirent. Les yeux et les mains se levèrent vers le ciel, priant pour l'âme de toutes les victimes innocentes.

Après le départ des hommes, les femmes se rendirent à leur tour sur la tombe. Depuis le début de la guerre, en effet, le cheikh avait décrété que ces dernières n'avaient pas le droit de suivre de cortège funèbre ni d'assister à une mise en terre. Et elles, si promptes à pleurer, saisissant toute occasion pour déverser leur trop-plein de malheurs, firent ce qu'elles avaient à faire : elles se répandirent en lamentations, se griffèrent le visage et se frappèrent la poitrine. Faisant cercle autour de la tombe, elles se laissèrent aller à vider leur cœur de toutes leurs peines accumulées. Au milieu des femmes éplorées, la voix de ma grand-mère Zohar se fit entendre, une voix cassée à force de cris et de pleurs : «Jaafar, mon fils, embrasse ton frère Yahya pour moi, et dis-lui que je n'ai point connu le repos depuis qu'il est parti et qu'il nous a laissés. Dis-lui, hein ? N'oublie pas. Et puis dis-lui qu'à présent il ne sera plus tout seul, vous êtes ensemble mainte-nant, mon chéri. Tu es allé lui tenir compagnie, hein, mon petit ?»

À ces paroles, les femmes redoublèrent de pleurs et de lamentations en agitant les bras au-dessus de leur tête, tandis que les sœurs de la victime, mes tantes Bahija, Oum Fouad, et Soumaya, s'effondraient en sanglots, terrassées par la douleur.

C'était un jour de printemps exceptionnel ; un printemps venu après un hiver particulièrement pluvieux, comme le pays n'en avait pas connu depuis bien des années. La nature, ce jour-là, débordait de sève et de vie comme les corps gorgés de promesses des jeunes filles. Mais au milieu de cette fresque colorée, les robes noires et lugubres des femmes rappelaient à cette nature régénérée, gaie et fleurie, combien son éclat et son habit de fête étaient éphémères.

Les deux tombes de mes oncles Jaafar et Yahya sont côte à côte. Un espace d'à peine deux empans les sépare alors que les deux assassinats ont eu lieu à vingt années d'intervalle. Comme la mort abolit le temps ! Par le rapprochement de leurs tombes, les deux êtres séparés semblent se retrouver à nouveau. À croire que nous avons deux vies, celle que nous menons à la surface de la terre et une autre qui commence à notre mort, à l'heure où nous trouvons asile dans le sein de ces champs singuliers que sont les cimetières, des champs semés de tant de vies et de tant d'histoires des êtres disparus.

Le cimetière du village a bien changé. Il a gagné du terrain et s'est étendu mais les carrés des différents clans ne se mélangent pas. Chaque famille s'est évertuée à aplanir l'espace qui lui est alloué et à l'agrandir de manière que tous ses morts demeurent ensemble. Le plan de nos cimetières répond ainsi à des règles strictes de distinctions sociale et clanique, tout comme les plans urbains de nos villes où nos quartiers sont à l'image de nos appartenances religieuse, communautaire, tribale ou familiale.

Ainsi, ma mère ne se consola jamais de ce que son père, Fadel, fût enterré dans un carré distant de quelques mètres de celui de notre famille. Et toute sa vie elle pleura sur le triste sort de son père, enterré loin des siens, parmi des étrangers, de surcroît dans une tombe insignifiante, à ras de terre comme dans le temps, dont la pierre est à présent défraîchie, mangée par les mauvaises herbes et rongée par le soleil. Rien à voir avec les sépultures fleuries dont on honore aujourd'hui ceux qui ont été ravis au bel âge, qu'ils soient de notre famille ou du clan des Dayère. Des tombes tout en marbre et entourées d'une grille verte en fer forgé.

Bien que les carrés des deux familles ennemies se côtoient dans le cimetière, leur hostilité perdure de génération en génération, nourrie du sang versé à chaque nouvelle vengeance.

*

Tout a commencé au milieu des années cinquante quand Choukrallah Dayère fut tué par celui qui était son ami, mon grand-oncle Abdennabi Yahya. Ce dernier était un caïd redoutable que nul ne se risquait à défier. Toutes sortes d'histoires circulaient à son sujet, vantant son audace et sa force hors du commun. Lors d'une altercation, il aurait, à ce qu'on disait, démoli le portrait à trois gaillards du clan Dayère. L'affrontement s'était produit à la suite d'un litige opposant les deux familles à propos d'une parcelle de terre. Chacune en réclamait la propriété. Les sages du village s'en étaient mêlés et avaient attesté que la plupart des terres appartenant aux Dayère étaient au début du siècle sous la coupe du bey Ahmad al-Asaad, qui les leur avait attribuées par le fait du prince. On réconcilia les deux familles mais les trois gaillards, humiliés, n'entendaient pas en rester là. Ils attendirent avec impatience le jour où Abdennabi se rendrait à Beyrouth. Ils comptaient l'y surprendre et le passer à tabac pour lui faire ravaler sa morgue.

Vint le jour où mon grand-oncle Abdennabi se rendit à Beyrouth. Comme à son habitude, il se dirigea vers l'échoppe de son ami d'enfance, Choukrallah Dayère, à qui il venait offrir un plein seau de yaourt et quatre pigeonneaux rôtis préparés par sa mère. L'officine de barbier de Choukrallah se trouvait dans la rue du Chamelier, à l'angle de la montée de Zouqaq al-Blat, remplacée par un pont depuis la fin de la guerre. Au moment où Abdennabi approcha du café *Palestine*, en face du salon de Choukrallah, les trois jeunes gens lui tombèrent dessus. Après l'avoir roué de coups, ils l'immobilisèrent et entreprirent de lui taillader à coups de rasoir le visage, le cou et les épaules. Mais il réussit à prendre le dessus. Il se dégagea, s'empara de la lame et leur infligea une belle rossée à coups de poings et de pieds, en jurant et en les traitant de tous les noms. Puis, couvert de sang, il les laissa là et se dirigea vers l'échoppe du barbier où il entra en pestant :

« Ma parole d'honneur, je vais saigner le meilleur d'entre vous ! Regarde ce que tes cousins m'ont fait ! »

Choukrallah l'aperçut dans le miroir devant lequel il était occupé à se peigner. Il répondit sans se retourner :

« Mais tu es en sang ? Qui t'a fait ça ?

— C'est toi qui me demandes qui m'a fait ça ? Fils de pute, c'est ton rasoir qu'ils avaient ! Et moi, pauvre imbécile, qui t'apporte des gâteries mitonnées par ma propre mère ! »

Mais Choukrallah, sans cesser de se peigner, répondit avec agacement :

« J'ai rien à voir avec tout ça ! J'ai donné de rasoir à personne, et puis t'avais qu'à pas leur chercher noise ! »

Devant un tel manque de compassion de celui qu'il considérait comme son ami, et le peu de cas qu'il faisait des blessures infligées par ses cousins, Abdennabi perdit son sang-froid, il devint comme fou et se rua sur lui avec le rasoir qu'il tenait encore à la main. Il lui planta la lame dans le cœur, et Choukrallah s'effondra, inanimé.

« Fils de pute, hurlait encore Abdennabi, je t'ai dit que je ne leur ai pas cherché noise, c'est eux qui m'ont attaqué ! »

Il fut condamné et emprisonné, mais dans sa geôle il ne cessa de pleurer son ami. Il considérait avec effarement ses paumes ouvertes et laissait échapper de longs râles d'animal blessé en se remémorant leur enfance complice dans les champs et la campagne sauvage. Comme ce jour où son ami l'avait sauvé d'une mort certaine. Un serpent était sur le point de le mordre à la nuque quand Choukrallah l'avait aperçu. En un geste vif, il s'était emparé promptement de la tête du reptile et l'avait neutralisé, le sauvant ainsi d'une morsure mortelle.

Quand ses souvenirs l'accablaient et que le remords le torturait, Abdennabi se tapait la tête contre le mur et se lamentait : « Maudit rasoir ! C'est mon cœur qui aurait dû être transpercé et non le tien ! Dire qu'ils m'ont porté plus de vingt coups de lame qui ne m'ont rien fait et toi il t'en a suffi d'un seul ! »

Alors, son compagnon de cellule, un homme dans la force de l'âge, arménien d'origine, se précipitait sur lui pour l'empêcher de se faire mal et il se faisait fort de le raisonner. « Pourquoi frapper ton tête comme ça mon ami ? disait-il.

Tu vas devenir fou. Allons, faut pas pleurer. La vie, il mérite pas tout ce peine. Moi et toi tout pareil on n'a rien fait de mal. »

« Et toi, quel crime as-tu commis pour être ici ? » lui demanda un jour Abdennabi en levant vers lui ses yeux rougis par les larmes.

L'Arménien mit un poing sur la hanche, s'essuya le nez puis répondit :

« Moi, tu vois, l'État elle m'a condamné à tort. Soi-disant j'ai violé mon fille, qu'ils ont dit. Moi je te dis, mon pote, si tu fais pousser un plante de ta graine, comment t'aurais pas droit à goûter le fruit ? Eh ben j'ai pas droit, qu'ils disent ! »

*

Après la mort de Choukrallah, les gens du pays firent bloc avec le clan des Dayère. Aussi, par peur des représailles, les Yahya quittèrent le village pour se réfugier à Beyrouth. Et à peine étaient-ils partis que leurs champs furent brûlés et les tombes des leurs saccagées.

Mais bientôt, à la faveur des troubles qui suivirent la guerre civile de 1958, Abdennabi sortit de prison en même temps que quelques gros bras de ses codétenus. Aussitôt il se mit au service d'un chef de parti beyrouthin pendant que ses camarades se faisaient enrôler par le Front patriotique. Il ne tarda pas à se forger une belle réputation de caïd et devint chef de bande à la tête d'une équipe de lascars, trafiquants d'armes et de drogue. Lui et les autres caïds de la ville bénéficiaient de la protection de parrains, chefs de partis de tous les bords. Abdennabi envoyait ses hommes rançonner les chrétiens d'Achrafieh proches du front, jusqu'au jour où on le retrouva mort, sur la ligne de démarcation, tué par un Dayère, membre du Front patriotique.

Sa mort ne mit cependant pas fin aux hostilités entre les deux clans. En effet, les jeunes gens des deux familles s'enrôlèrent dans des organisations politiques ennemies, arguant de considérations patriotiques mais cherchant en vérité à conforter le clan en le mettant sous l'aile protectrice d'une organisation politique.

Puis vint l'assassinat de mon oncle Yahya, qui déclencha un nouvel épisode sanglant entre les deux familles.

Les nôtres étaient revenus au village, fuyant les affrontements qui faisaient rage à Beyrouth. Et dès lors, la rumeur courut que Yahya n'était rentré que parce qu'il entretenait une liaison avec la femme de son oncle Dib.

Le jour de son assassinat, une dispute à propos du même vieux litige l'opposa à Hachem Dayère sur la place du village. Il était midi et un attroupement de villageois assista à la scène au cours de laquelle Hachem Dayère menaça de tuer Yahya. Les témoins séparèrent les deux jeunes gens mais les pires menaces avaient fusé.

Ce soir-là, mon oncle Yahya se reposait chez lui, sous une treille, quand soudain, au moment où il tendait son bras pour attraper une grappe de raisin, il reçut une balle en pleine tête. Il s'écroula mort.

Tout le village accourut aux hurlements des femmes et les soupçons immédiatement se portèrent sur Hachem Dayère. Cependant quelques voix discordantes chuchotèrent le nom de l'oncle Dib, le mari trompé. On prétendit qu'il aurait fait exécuter cette sale besogne par un milicien étranger au village. L'assassinat de Yahya ne fut jamais élucidé et plus tard le meurtre de sa femme Wafiqa, tuée sur son lit d'accouchée, ajouta encore au mystère.

Hachem Dayère prit la fuite et, après une disparition de plusieurs années, on le trouva mort à son tour, assassiné devant la porte de sa maison. On dit qu'il était revenu en secret, le temps d'embrasser sa femme et ses enfants. Tout naturellement les soupçons se dirigèrent vers mon oncle Jaafar, le frère cadet de Yahya. Pourtant ce dernier s'était couché de bonne heure ce soir-là et seuls les lamentations et les cris de colère qui le désignaient comme l'assassin l'avaient tiré de son sommeil. Lorsque l'oncle Dib vint frapper à la porte, il se réveillait tout juste.

«Qu'est-ce qui se passe? Qu'est-ce qu'il y a? demanda-t-il, affolé, à son oncle.

— Hachem a été assassiné! Les Dayère vont arriver d'un instant à l'autre. Dépêche-toi! Habille-toi vite et sauve-toi!»

Le garçon, qui n'avait guère plus de quinze ans, ne comprit pas grand-chose mais s'exécuta. Il s'habilla à la hâte et prit la fuite, courant en direction du village de sa sœur Bahija.

Cette dernière l'accueillit et le cacha chez elle pendant une longue période. Elle le fit installer dans la fosse où le ménage conservait sa récolte de tabac et lui passait ses repas par l'étroite ouverture. Le garçon se contentait du pain et des concombres et ne touchait pas au reste.

Pendant ce temps, ma grand-mère Zohar se rongeait d'inquiétude. Aussi finit-elle par envoyer sa fille Oum Fouad aux nouvelles. Elle la chargea de quelques provisions et d'un peu d'argent et lui recommanda mille précautions afin que nul ne la voie quitter le village. Fort heureusement, à cette époque-là, les esprits étaient tout occupés par les affrontements qui faisaient rage entre les partisans de Ahmad Bek al-Asaad et ceux d'al-Khalil, et les gens s'étaient momentanément désintéressés de la sanglante vendetta entre les Yahya et les Dayère.

Oum Fouad partit donc discrètement. Elle parcourut tout le chemin d'al-Karroussé et s'engageait dans un petit sentier, abrupt et bordé d'épines et d'orties, quand un groupe de miliciens armés lui barra soudain la route. C'était une de ces bandes de crapules sans foi ni loi qui sévissaient par les chemins de campagne durant ces années de guerre, et qui détroussaient les honnêtes gens. Échaudée par sa mésaventure, Oum Fouad rebroussa chemin, de crainte de tomber entre les mains d'autres bandits, moins charitables, qui lui feraient subir bien pire que le vol.

Quelques jours plus tard, sur l'instigation des hommes de la famille, Jaafar consentit à se livrer aux autorités et déclara être l'auteur du crime. On le convainquit, en effet, de la nécessité d'endosser ce meurtre car il y allait de l'honneur de la famille, et on lui assura qu'en raison de son âge il ne risquait qu'une peine légère. Et tous témoignèrent à la barre du tribunal que c'était bien lui le coupable. Même sa propre mère, qui avait pourtant dormi sur une couche voisine de la sienne, déclara à la cour que le jeune garçon n'avait pas dormi chez lui le soir du crime. Elle qui, depuis la mort de son fils Yahya, n'avait de cesse de presser le jeune Jaafar de venger son frère, le traitant de poltron et l'abreuvant d'injures : «Comment peux-tu faire bombance à en crever et dormir sur tes deux oreilles alors que ton pauvre frère est mort et enterré ! Tu n'es donc qu'un lâche et un froussard ? Lève-toi et va laver le sang par le sang ! »

Et c'est finalement pour satisfaire sa mère que Jaafar avoua ce crime qu'il n'avait pas commis. Durant tout le procès il garda un silence obstiné pendant que les témoins se relayaient pour l'accuser. Il fut inculpé et condamné aux travaux forcés et les deux clans ennemis y trouvèrent leur compte, les Yahya parce que vengeance avait été accomplie et les Dayère parce que le meurtrier supposé avait été condamné.

Mais c'était sans compter une guerre d'une autre nature, que se livrèrent les femmes cette fois-ci. Les hostilités commencèrent par des agressions verbales sous forme d'accusations et d'insultes allant crescendo dans l'obscénité, puis on en vint aux empoignades et aux cheveux qui volent. Enfin, elles prirent pour cible privilégiée leurs parties intimes réciproques. Quand un groupe de femmes en tenait une du clan ennemi dans une ruelle déserte, elles la déculottaient sans vergogne et lui fourraient du piment fort dans le sexe. Un supplice auquel elles se livrèrent dans le village et même dans les méandres du quartier Bourj Hammoud à Beyrouth où certaines familles des deux clans s'étaient établies.

Ma grand-mère Zohar elle-même ne fut pas épargnée. Un matin très tôt, alors qu'elle attendait un taxi collectif qui devait la conduire au tribunal de Saïda, elle subit l'assaut d'un groupe de femmes menées par la mère de Hachem Dayère. Peu de temps auparavant, l'une d'entre elles avait elle-même subi le châtiment du piment. Ma grand-mère fut empoignée et tirée sans ménagement jusqu'à l'étroite ruelle des Voleurs. Là, elles la plaquèrent au sol, lui arrachèrent son pantalon et lui enfoncèrent plusieurs têtes de piment dans le vagin avant de battre en retraite. Sous l'effet de la souffrance atroce qui lui brûlait le bas-ventre, ma grand-mère oublia sa pudeur et accepta l'aide de quelques hommes qui la soulagèrent et se chargèrent de l'accompagner à l'hôpital de la ville.

Par la suite, elle ne se déplaça plus qu'armée d'un redoutable fouet, qu'elle qualifiait de «zob du taureau», prête à se défendre contre toute nouvelle attaque des Dayère.

*

Jaafar ne purgea pas toute sa peine. En 1976, avec le déclenchement d'une nouvelle guerre civile, les détenus furent libérés par des groupes armés, et il revint un temps au village avant de s'engager dans les rangs de la branche militaire d'une organisation politique.

«J'ai été condamné à tort, je n'ai tué personne», répétait-il.

Mais, décidément, un sort funeste l'attendait au détour. Un jour où il se rendait en voiture à Tyr, il fut pris en chasse par une voiture et contraint de s'arrêter. Les trois jeunes miliciens qui en descendirent combattaient pour le compte d'une faction militaire qui avait le soutien inconditionnel du clan Dayère. Un des trois combattants s'approcha de la fenêtre ouverte, dévisagea Jaafar puis lui dit :

«Tu me reconnais?

— Non, qui es-tu?

— Je suis le fils de celui que tu as tué en 58. Je suis le fils de Hachem, tu te souviens de lui ?

— Je n'ai tué personne, je… »

Il n'eut pas le temps de terminer sa phrase. Le jeune homme brandit son pistolet et l'exécuta à bout portant.

Certains au village racontèrent qu'il y eut une éclipse du soleil ce jour-là, que l'air et le ciel étaient devenus rouges, de la couleur du sang injustement versé.

Traduit par Rachida Damahi Haidoux
et Batoul Jalabi Wellnitz

YASMINA TRABOULSI

YASMINA TRABOULSI est née en 1975 à Paris, d'un père libanais et d'une mère brésilienne. Elle a passé son enfance à Paris jusqu'à l'âge de quatorze ans. Diplômée en droit international et communautaire, elle vit aujourd'hui à Londres. Son premier roman, *Les enfants de la place*, a reçu le prix du Premier Roman en 2003. C'est un récit qui nous plonge dans la réalité des bas-fonds du Brésil contemporain. Son second roman, *Amers*, raconte la descente d'une pianiste dans les enfers modernes de Beyrouth. Servis par une écriture vive et très personnelle, ses écrits se remarquent par leur scansion musicale.

DU MÊME AUTEUR

Amers, Éditions du Mercure de France, 2007
Les enfants de la place, Mercure de France, 2005

LA QUATRIÈME PYRAMIDE

Trois tessons de porcelaine blanc et or gisent sur le tapis. Malgré éclats et brisures, l'avenir se livre, impudique et menaçant. Le marc a asséné sa vérité, pas l'ombre d'un doute. Souma chasse l'image funeste livrée par la tasse et fixe le tableau au mur, un portrait d'elle grandeur nature réalisé par un artiste en vogue à l'époque. Elle se concentre sur les détails de la silhouette, elle se souvient des longues heures de pose, elle était encore jeune, célibataire et convoitée. Elle ne songeait guère à l'avenir, elle imaginait sa vie pavée de gloire, elle s'était battue pour en arriver là, elle ne devait rien à la chance, elle avait mérité tous ces triomphes, les honneurs, la fortune. Mais, ce soir, le marc lui avait révélé un lourd secret.

«Le marc ne ment pas, âcre et amer, il ne possède pas la douceur fourbe de la flatterie», murmure Souma.

Le destin prenait enfin sa revanche. Souma s'était égarée, le succès avait effacé les enseignements de cheikh Ibrahim, son défunt père. Le vieil homme n'avait eu de cesse de la mettre en garde contre les mirages de la vanité. Il la sermonnait déjà alors qu'elle était enfant.

«Je te prendrai dans la troupe quand tu auras appris la modestie, Souma. Huit ans et déjà pleine d'arrogance! Dompte tes yeux, apprends l'humilité et la discrétion, on ne chante pas des *quacidas* ainsi, tu loues le Tout-Puissant et ses bienfaits. Ne te pare d'aucun atour, tu ne charmeras ton auditoire qu'avec ta voix. »

Son père psalmodiait le Coran comme personne, il l'avait initiée à cet art si pur, lui transmettant son savoir avec amour et patience. Après deux années d'apprentissage, il la jugea enfin mûre et, à l'occasion d'une fête de mariage au village voisin, il invita Souma à l'accompagner. Elle s'était préparée avec soin, une belle fleur d'hibiscus ornait ses cheveux noirs, elle s'était pincé les joues pour les rougir, piqué un doigt à l'aiguille pour colorer ses lèvres d'une goutte de sang et avait même subtilisé le bracelet d'or que sa mère gardait au fond de l'armoire…

«Qu'Allah me pardonne d'avoir engendré une fille pareille!» avait hurlé son père face à Souma, clown grotesque singeant ses aînées. Il lui avait tiré les oreilles, avait piétiné son hibiscus et, en guise de punition, l'avait affublée d'un costume de grosse laine, d'un tarbouche ridicule dans lequel il avait fourré ses jolies nattes. Souma en avait pleuré de rage, elle ressemblait à ces gamins du village dont l'unique ambition était de cultiver un lopin de terre sur les bords du delta. Souma avait maudit son père qui, lui, exultait.

«Quelle brillante idée que de te déguiser en garçon, Souma hayati, le maire et ses sbires n'y verront que du feu, personne n'y trouvera à redire. La voix, rien que la voix, débarrasse-toi des artifices…», avait-il répété, maladroit, tentant de consoler sa fille qui retenait de gros sanglots.

Souma ramasse les tessons de porcelaine blanche, elle enferme le malheur dans le creux de sa paume, il tape aux portes de la nation, galope sur les rivages du fleuve sous le regard impassible des dieux et des pharaons. Elle gomme nervures et rigoles dessinées par le *teffel*, elle rembobine le temps. Qu'on lui arrache les yeux, Souma n'a vu que déchéance, divisions et tourments en cascade. Son père, l'imam, se serait moqué d'elle.

«Balivernes que ces présages, Souma.»

Malgré sa foi, ses nombreux voyages et une culture acquise auprès d'illustres amis écrivains et poètes, Souma était restée l'enfant superstitieuse de Tamai al-Zahayira, village pauvre de la province de Dakhalieh.

«Sottises d'ignorants, blasphèmes contre la foi et le Prophète», aurait tonné Papa.

Souma a vieilli, soixante ans passés, du vague à l'âme et ces crises qui terrassent et affaiblissent son pauvre corps. L'Astre de l'Orient décline, la silhouette s'est épaissie, l'esprit parfois s'embue, elle oublie un couplet, raccourcit un récital, son public ne s'en aperçoit pas encore. À quand donc l'inexorable chute... Hassen, son docteur de mari, préconise l'Amérique. Il n'a que ce mot à la bouche «Amercca, Amercca»! Maudit Hassen et ses remèdes colonialistes! Non, elle n'ira pas, tant pis, *maktub*, c'est écrit, même Souma, reine parmi les reines, ne peut rien contre la volonté d'Allah.

«Safiya, où te caches-tu?»

La servante accourt, elle a entendu Souma jurer dans le salon.

«Jette le service de porcelaine, tasses, assiettes, jette et surtout, ne pose aucune question.»

Safiya hésite… Le service préféré de Souma, le travail des *Françaoui*, un cadeau du roi Farouk…

«Ne t'avise pas de le cacher, je le trouverais.»

Safiya s'exécute, elle tient à sa place, servir Souma, la diva des divas, qui ne rêverait pas d'une chance pareille?

Souma se débarrasse des présages, que le Nil les emporte vers les affluents lointains, que le sable du désert les noie comme ces hiéroglyphes du temps jadis. Souma oubliera, elle brûlera les malédictions sous le feu de sa voix, les vers d'al-Khayyam et les mélodies d'al-Qasabji.

«Apporte les robes, les chaussures et les bas. Dépêche-toi, le temps presse. Mes mouchoirs de soie, pose-les sur le lit, je les veux tous.»

L'heure du concert approche, elle s'habille et s'échauffe avec *Plains-toi, ça m'est égal*, une ritournelle pour un amant frivole mais aussi sa devise. Souma s'est toujours moquée des ragots et des jaloux. «Je te laisse au temps, ni reproches, ni chagrins, tes remords te puniront, tu découvriras la souffrance.» Souma fredonne ses rengaines les plus connues, celles de l'amour, des trahisons et du désir. Ces niaiseries l'ennuient mais le public les réclame, il l'adule car elle sait conter leur vie et panser leurs blessures. Souma-Ouma, Souma mère, Souma, qu'ils chérissent autant que le raïs. Souma, qui a chanté pour les princes et chante maintenant pour les officiers libres. Souma qu'on a voulu proscrire de l'Égypte républicaine, lui reprochant d'appartenir à un passé honni et révolu. Le raïs l'avait défendue, «le soleil se levait aussi sous l'ancien régime», avait-il rétorqué. Sa boutade avait fait le tour des salons du Caire. Ce soir, elle improvisera de nouvelles variations, elle glorifiera la patrie et la révolution, elle éblouira le raïs, ses hommes et son peuple.

Chaque premier jeudi du mois, Souma s'offre à la nation, enivre ses frères d'Égypte, du Maroc, de Syrie, d'Irak et d'ailleurs. Nasser, le raïs, a promis de venir, il ne manque jamais ses récitals. Naguib, Youssef et les autres l'écouteront du café Fichaoui, ils suspendront une partie de trictrac, les dés dans la poche, un narguilé aux mille parfums entre leurs lèvres de poètes, sur les plateaux d'argent du thé à la soudanaise, gorgé de sucre et, bien sûr, les dernières revues d'Europe, qu'on s'empresserait demain de commenter.

Dans les échoppes de Khan el-Khalili, les marchands fermeront plus tôt, ou peut-être resteront-ils là, le poste allumé jusqu'au petit matin, invitant les badauds à s'asseoir et partager. Ils se recueilleront face à l'Astre de l'Orient, chrétiens, musulmans, juifs, nationalistes et notables. Le Rivoli, le Miami et le Métro ne feront pas recette, les salles obscures n'abriteront aucun amour, pauvres ou riches, c'est Souma qu'ils préfèrent. Le jeudi, de la Cité des Morts aux quartiers chics d'al-Ghiza, la vie s'arrête, l'agitation envahit les bazars, les ambassades et ministères libèrent les fonctionnaires, même l'université al-Azhar se vide. On se réunit autour du poste, on boit, on s'ouvre l'esprit, on vérifie la fréquence à chaque seconde, on se prépare à la fête du cœur et de l'âme. Les petits ont la permission de veiller, les mères délaissent les ouvrages, le fermier ira chez le chef de gare, il a l'électricité et la radio, ce sera l'occasion d'interroger le maire sur la réforme agraire.

Les politiciens aussi, elle les réduit au silence, qui oserait prononcer un discours le premier jeudi du mois ? Le peuple n'a d'ouïe que pour sa Cantatrice, il restera sourd aux exhortations, aux soucis, aux caprices de la vie, à la misère et à la guerre qui approche, inévitable.

Souma ajuste quelques mèches de son chignon, il pèse de plus en plus lourd, elle a la nuque endolorie, ses reins la tourmentent, son mari a peut-être raison, il faudra aller en Amérique pour espérer guérir. Ses musiciens l'attendent à la radio al-Quahira, ils accordent les instruments, bavardent sans doute un peu, échangent des plaisanteries à son propos, les ragots sur Asmahan, Farid, Abdelwahab, Kamal et Adel Halim. Elle se promet de leur jouer un tour aujourd'hui, elle aussi peut se moquer, elle ne chantera pas jusqu'à l'aube comme à son habitude, non, elle suivra le soleil jusqu'au zénith, ne se couchera qu'à l'heure où il atteindra le sommet des pyramides. Elle épuisera ses hommes, les percussions et les cordes, elle engagera un duel avec le luth, les violons et les cithares, elle les pliera à sa voix comme elle soumet son public et ces hommes qui se ruent sur scène pour lui baiser les mains, les pieds. Elle ne les renverra pas, il suffira d'une note pour qu'ils regagnent leur siège et, tels des dévots recueillis, se laissent porter jusqu'au *tarab*, l'extase, qu'elle seule leur procure.

Tailleurs, robes longues et caftans ornent sa chambre. Aux galas et anniversaires, elle s'octroie la fantaisie de broderies d'Italie, une parure. Souma méprise les chanteuses racoleuses, couvertes d'or et de luxure, qui d'une cigarette embrasent liasses et sens des consuls et de ces chiens de Britanniques. Un jeu vulgaire et indigne! Souma porte le nom d'une fille du Prophète, rigueur et retenue s'imposent.

Sur le lit, les mouchoirs de soie qu'elle collectionne. Elle les palpe un à un, le tissu glisse, scintille, certains ont changé de texture, rêches et usés à force de la suivre. Tunis, Alexandrie, Beyrouth, Amman, Damas, Alger, Tripoli, tant de tournées, partout acclamée, des mélodies qu'elle renouvelle sans cesse et sur lesquelles sa voix brode de resplendissantes mosaïques. Il lui suffit d'un soupir pour que la foule pleure et d'un sourire pour qu'elle la console, le mouchoir au bout de la main droite, Souma dirige, Souma orchestre, elle y emprisonne la moindre fausse note, elle s'y accroche quand parfois un oud trop arrogant la défie. Le mouchoir congédie les traîtres des chansons, étouffe les sanglots, rythme les délires du public, acclame les amours.

Il est temps de s'en aller, Souma saisit un mouchoir aux teintes nacrées, elle ne le lâchera plus jusqu'à la fin du récital.

Safiya entre sans frapper, on demande Souma au téléphone. Souma la renvoie d'un geste mécontent, jamais avant un concert. Safiya insiste… c'est le raïs, Safiya ose à peine prononcer son nom tant le président l'impressionne.

Souma court jusqu'au salon, s'empare du combiné, Gamal ordonne et tempête d'entrée de jeu. Pas un compliment, il ne s'enquiert pas de sa santé, qu'il sait fragile, il invective et hurle, Souma perçoit des tremblements dans la voix, il crie avant la chute, il s'époumone pour ne pas s'écrouler, Gamal est brisé, à terre.

« Al-Atlal », les ruines. Le pire est arrivé. Le peuple doit rester dans l'ignorance jusqu'au matin. Envoûte-le, Souma, saoule l'Égypte de rêves, les derniers peut-être…

Souma se précipite en direction de la radio, elle va prendre possession des ondes, camoufler, repousser l'ennemi, annoncer des victoires, mentir, dissimuler. La voiture traverse Le Caire à une allure folle, des militaires l'escortent, des sirènes résonnent et l'assourdissent, Souma tente de se concentrer, elle a du métier, ça ira. Les paroles du raïs ont avalé ses refrains, elle vocalise, répète les *quacidas* de son enfance, elle ne se laissera pas dominer par la peur, elle ne faiblira pas face au désastre. Elle cherche son mouchoir aux reflets de nacre, il ne se trouve ni dans son sac ni sur la banquette, elle n'a pas chanté sans mouchoir depuis trente ans au moins. La voiture s'est brusquement arrêtée, le chauffeur ouvre la portière, les militaires attendent sur le trottoir, les techniciens sont prêts, les musiciens ont accordé les instruments, dans cinq minutes elle sera sur les ondes… Dans cinq minutes, elle taira la défaite et la catastrophe de ce 5 juin 1967.

Les Belles Étrangères sont un rendez-vous littéraire annuel qui convie le public français à la découverte des littératures étrangères. Organisées par le Centre national du livre pour le ministère de la Culture et de la Communication depuis 1987, Les Belles Étrangères reposent sur l'invitation, en novembre de chaque année, d'un groupe d'écrivains d'un même pays ou d'une même aire linguistique, et sur l'organisation d'une série de rencontres dans toute la France avec des librairies, des bibliothèques, des universités et des associations culturelles partenaires.

Ces rencontres illustrent la politique d'aide à la traduction, à la publication et à la diffusion mise en œuvre par le Centre national du livre.

Brésil, 1987
RDA, 1987
Danemark, 1987
Argentine, 1988
Espagne, 1988
Chine, 1988
Portugal, 1988
Finlande, 1989
Hongrie, 1989
Irlande, 1989
Grèce, 1990
Australie, 1990
Pologne, 1990
Mexique, 1991
Autriche, 1991
Norvège, 1991
Chili, 1992
Pays baltes, 1992
Afrique du Sud, 1993

Turquie, 1993
Pays-Bas, 1993
Israël, 1994
Égypte, 1994
Suède, 1995
Corée, 1995
Canada, 1996
Palestine, 1997
Amérique centrale, 1997
Albanie, 1998
Belgique, 1999
République tchèque, 1999
Bulgarie, 2001
Suisse, 2001
Inde, 2002
Algérie, 2003
Russie, 2004
Roumanie, 2005
Nouvelle-Zélande, 2006

DOMAINE ARABE ET PERSAN
AU CATALOGUE DES ÉDITIONS VERTICALES

EN FRANÇAIS
Jean-Louis Magnan, *Anti-Liban* (mention du prix Wepler 2004)
Jean Reinert, *Les amants de Bagdad* (coll. « Minimales »)
Fady Stephan, *Le berceau du monde. Orient-opéra* (prix Phénix 2003)

TRADUIT DE L'ARABE
Abû Nûwas, *Poèmes bachiques et libertins*, traduction et présentation
d'Omar Merzoug
Abû-Alâ al-Maarri, *Chants de la nuit extrême*, traduction, présentation
et calligraphie de Sami-Ali
Yussef Bazzi, *Yasser Arafat m'a regardé et m'a souri*, traduction et postface
de Mathias Énard
Imane Humaydane-Younes, *Ville à vif*, traduction de Valérie Creusot
Imane Humaydane-Younes, *Mûriers sauvages*, traduction de Valérie
Creusot

TRADUIT DU PERSAN ET DE L'ARABE
Mirzâ Habib Esfahâni, *Épître de la queue* (coll. « Minimales »), suivie de
Douze séances salées de Mohammad Ibn Mansu el-Hili el-Halabi, traduc-
tion et présentation de Mathias Énard

Composition Entrelignes (64).
Achevé d'imprimer
par la Nouvelle Imprimerie Laballery
à Clamecy en octobre 2007
Dépôt légal : octobre 2007
Numéro d'imprimeur : 710005

ISBN : 978-2-07-078628-2 (France)
ISBN : 978-9953-74-167-3 (Liban)

Imprimé en France

153847